JN083417

それぞれのうしろ姿

アン・ギュチョル
桑畑優香〈訳〉

&books

사물의 뒷모습 〈The Other Side of Things〉

Text & Illustrations ⓒ 2021 by Ahn, Kyuchul
All rights reserved.
This Japanese edition was published by TATSUMI PUBLISHING CO., LTD. in 2021
by arrangement with HYUNDAE MUNHAK PUBLISHING CO. LTD.
through KCC (Korea Copyright Center Inc.). Seoul.

Book Design by albireo

それぞれのうしろ姿

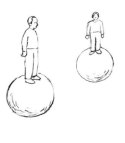

天使が通りすぎるとき

　何人かで楽しんでいた会話がふと途切れ、不思議な静けさが訪れる瞬間を、ドイツ語やフランス語では「天使が通りすぎるとき」と呼ぶ。

　この表現を借りれば、本書はわたしのなかで天使が通りすぎたときの記録だ。一日中ずっとひとりで仕事部屋にこもり、ほとんどのときを沈黙のなかで過ごす。だが、対話はひたすら続く。絵を描いたり、木材を削ったりしながら、材料と語り合い、頭と手が会話をし、左手と右手がおしゃべりをする。この無言の対話が突然止まって静寂に包まれるとき、すなわちわたしのなかを天使が通りすぎるとき、身近な事物の数々は普段とまったく異なる姿を現す。それらを追って短い散歩をするうちに、見過ごしていた草や虫、木々、そしてわたしたちが創り出したにもかかわらず気づかなかった「事物それぞれのうしろ姿」に出合う。あてのないこの旅は果てなくも、四方に散らばる道はどこかで互いに結ばれるのだ。ごく一瞬かもしれないし、待てども永遠に訪れないかもしれない時間。天使が通りすぎるその瞬間、わたしは芸術家として胸を張れるのだ。

目 次

植物 の 時 間

AHN

「彫刻家の仕事」
21×30cm、紙に鉛筆、2020

カタチあるものと
カタチないもの

　ミケランジェロは、大理石の塊のなかに隠れている彫像のカタチを見いだす才能が、ずば抜けていたという。他の彫刻家たちが見向きもしなかった岩石に、巨人ゴリアテに立ち向かった英雄ダビデの姿を感じ取り、そのカタチをリアルで生き生きとした彫像として世に出した。

　彫刻家は、石に閉じこめられている形象を解放する人だ。事物それぞれのうしろにあるものを見抜くミケランジェロの洞察力と多くの傑作に敬意を表しながら、わたしはその人が創作のためにハンマーとノミで砕いた破片と粉にふと思いをはせる。耳元で無限に響くハンマーでノミを打つやかましい音、粉々に砕けて飛び

散り床に積もる大理石のかけら、汗でぐっしょり濡れたミケランジェロの体やアトリエを真っ白に覆うホコリが脳裏に浮かぶ。ここでは、世界はカタチとして残るものとカタチを成さずに捨てられるものに分けられる。作品を創ることは、記憶されるものと忘れ去られるものを仕分けし、その境界を明確にすることだ。

　ミケランジェロと後輩たちが、すべての大理石に潜むカタチを世に出したいま、わたしたちはその残骸のなかで、捨てられたかけらとホコリのなかに隠れたカタチを探している。

2017 AHN
평등의 원칙

「平等の原則」
21×30cm、紙に鉛筆、2017

ボール

子どもたちはボールで遊ぶ。ボールはとんでもない方向に転がり、子どもはそれを追いかけて息を切らす。ボールの役目は、予想を裏切ることだ。ボールは、どこに跳ねるかわからない不規則な動きで子どもたちをもてあそぶ。

数えきれない失敗を重ね、何度もため息をつきながら、子どもたちはボールの動きをつかみ、コントロールする術を学ぶ。ボール遊びは、いわばボールのように転がる世界を生き抜くためのレッスンだ。ボールは子どもに、世の中の出来事の多くは想定外で意思とは関係なく勝手に進み、予告なしに向きを変えることを気づかせる。不規則のなかの規則性を察知してボール

よりも速く動かなければ、勝利を手にできないと。負けを減らすためには、ボールのようになるべきだと。

　ボールは、外の世界に興味がない。わたしたちが球技に熱狂するのは、ボールが人間に興味を示さず、完璧に中立であるためだ。ボールは、周りで何が起ころうが、ちっとも気にしない。転がせばなされるままに転がり、止まるべき場所で止まる。ところを選ぶことなく、そもそも選択しようとする意思そのものが存在しない。地形と重力、その他のさまざまな偶然によって決められるがまま転がり、止まるだけだ。わたしは時々、ボールのようになりたいと願う。

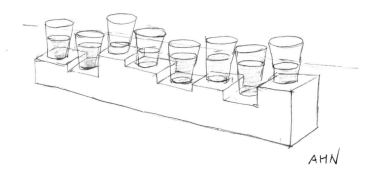

AHN

「water glass xylophone」
27×19.5cm、紙に鉛筆、2014

うつわ

　うつわは、いささか寡黙だ。もともと音を出すために作られたわけではない。つまり楽器ではない。しかし、うつわは楽器のように音を出す。どうにか聞きとれるささやきのように低い音から、骨の深くに鋭く響く高音まで、多彩な音域を自在にあやつる。

　料理を盛るための空間があるうつわの真ん中と、音楽を奏でるための空間がある楽器の内部は、「空いている」という点で等しい。外部の刺激と衝撃に反応する点でも同じだ。うつわと楽器はともに「沈黙」を美徳とするが、その沈黙はいつでも中断されうる。両者のなかには、ため息やつぶやき、感嘆詞やささやきが入っている。そこにはまた、うつわが割れるときに最期に吐

　　　　　　　　　　　　　　│　植物の時間

き出す短くも強烈なため息が含まれる。すべてのうつわには、ひとつの小さな世界が崩れる音が宿っている。

　うつわを作るとき、わたしたちは音も一緒に創る。あるいは、われわれがうつわを作っているあいだ、うつわが音を創っているというべきかもしれない。うつわは、食卓の沈黙にスプーンで「カチャカチャ」と音を立て割りこむ。仲違いしたカップルのあいだに、「カタッ」とカップを置く音で終止符を打つように入りこむ。うつわは自ら声を上げることはできないが、すべてに反応する。無関心には無関心で、怒りには怒りで、悲しみには悲しみで。

うつわは自分が楽器だと思っているかもしれない。
わたしたちはうつわを作り、うつわは楽器として生きる。

｜　植物の時間

「愛の木」
30×40cm、紙にインク、2015

風になる方法

　風に揺られながら、木は種を風に乗せて遠くへ飛ばす術を思いついたのだろう。ひとつところで生息する植物の限界を超え、はるか彼方へ風のように旅する方法を。種は、まるで宛名のない手紙のようにさすらい、風が止まる場所に、まったく見知らぬところに根を下ろして芽を出す。

　木々は静物ではない。時間のリズムが違うだけで、木もわたしたちのように動きつづけている。ふいに若葉を震わせ、時には枝を揺さぶり折る獰猛な風に身を任せながら、木は風に乗って空を翔たいと思ったはずだ。

　けさ、涼しくなった秋風に舞う木の葉を見つめなが

ら、わたしは風から何を学べるか考えてみた。風にな
る方法、風のように現れ、風のように消える方法、見
えない手で事物をなで、止まっているものを動かし、
地面に落ちたものを天に舞い上がらせる方法、そして
ときにぐるぐると渦巻く心を静める方法を会得できる
か考えてみた。

「植物的な身体」
16×22cm、紙に鉛筆、1992

人工の涙

　歳を取ると涙が不足する。ドライアイ。症状同様、干からびた病名だ。涙腺がカラカラになり、砂が目に入りこんだ感じがして、パチパチまばたきをする。涙をぬぐうハンカチを取り出すこともなく、ぼろぼろ涙を流して大泣きしたのも遠い日の思い出だ。「流すべき涙は使い果たしたから、新たに生産する必要はない」と、体が考えているのかもしれない。しかし、量は減れども、涙はたえず作られる。いや、ひょっとすると量は変わらず、わたしがあまりにも安易に涙を流しているためかもしれない。ありきたりなドラマを観ながらじわじわと、夕焼けを眺めながらじわじわと、ラジオから流れる歌の一節にじわじわと、目がうるむのだ。

年齢のせいであれ、涙腺のせいであれ、涙が不足する人のために、製薬会社は人工的な涙を作って売る。わたしもそんな製品を使いはじめた。朝一回、寝る前に一回、他者が作った涙を一滴ずつ目にたらすと、目頭に涙をためた記憶がよみがえる。人工の涙もホンモノの涙のようにぽろぽろと頬をつたう。手の甲で涙をぬぐってみる。かつて熱い涙を流したのは、いつだっただろうか。

vegetarischer Körper

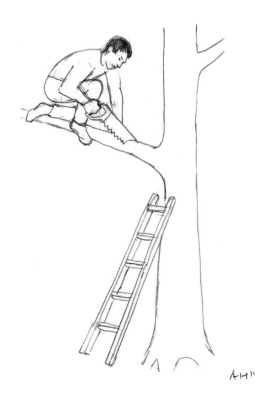

「ノコギリ」
20×30cm、紙に鉛筆、2017

刃が鈍くなった
ノコギリ

　木をあつかう作業をしていると、ノコギリやカンナや
ノミのような道具に目が向く。木の素肌を切り刻み削
る残酷な凶器だが、わたしはアトリエの棚の上で静か
にきらめく道具たちの姿をそっと見つめるのが好きだ。

　ノコギリの刃には、ムカデやゲジゲジの足のごとく、
たくさんの歯が並ぶ。雨風や寒さで鍛えられた木の屈
強な体を切り取るには、ナイフのような鋭利な刃だけ
では事足りない。ノコギリの無数の小さな歯で、悲し
みながら抵抗する木を慰めつつ、木が重ねてきた年輪
の時間に少しずつ食いこんでいかねばならない。だか
ら、ノコギリをひく作業がしんどいと不平を言っては
ならない。いま自分の前に置かれている対象は、少な

　　　　　　　　　　　　　I　植物の時間

くとも数十年の厳しい歳月を黙々と耐えてきた強者なのだから。

　木とノコギリ、ハンマー、ノミの関係を勝負にたとえると、木よりも鉄が圧倒的に強いように思える。木は鉄の強さや断固とした姿勢には、絶対勝てないだろうと。ところがじっくり見ると、木を攻撃すれば、鉄でできた道具もまた、摩耗してつぶれ、砕けてしまう。ノコギリは刃こぼれし、ノミの刃はボロボロに。切れ味をよみがえらせるには、やすりや砥石で時間をかけて刃を研がなければならない。道具は道具なりに、自らの体を削りながら苦しい時間を過ごしているのだ。時が経てばいずれは、鉄の道具もか弱い木との対決に

屈してひざまずき、退場を余儀なくされる日がやって
くる。そして、古い道具は捨てられ、新しい道具がそ
の座に就くのだ。

　道具を使う主人もいつしか、古ぼけたノコギリの刃
のように鈍くなりさびつくときを迎える。わたしにも
何も作れなくなる日が来るはずだ。それでも木は、机
や椅子という名で他の主人と出会い、さらなる歳月を
生きていくのだろう。だとすれば、勝者は果たして誰
なのか。

「散策」
30×20cm、紙に鉛筆、2017

サビ

　敵はたいてい自分よりも小さい。ほとんど目立たず、やかましい音を立てることもない。敵は、わたしたちを倒すにはわずかな攻撃で十分であり、むしろささやかであるほど効果的だと知っている。さりげなく密かにスタートする作戦の結果は致命的だ。まったく予期せぬところから崩壊が始まり、気づいたときには取り返しがつかない状態になっている。たとえば、金属を腐食させるサビのように。

　サビはまず、塗装が剝げたごく小さなキズや溶接部のヒビに発生する。攻撃対象のもっとも脆弱な地点にこちんまりとした拠点を設け、ほんの少しずつ領土を広げ、ついに事物の内部に侵入する。サビは決して急

がない。強く手ごわい相手でも、時間が自分の味方だと心得ているからだ。だが、いったん攻めはじめると、ひたすら前に突き進む。

　わたしたちは腐食がかなり進行するまで、まったく気づかない。湿気から金属を守っていた塗装の防御膜が破られると、金属は外気に触れて猛烈に反応する。境界が崩れ、それぞれの内と外がひとつになる過程、塵に戻る過程、それが腐食だ。わたしたちが造る家や都市、橋やモニュメントは、すべて腐食の危険にさらされている。足元で、頭のなかで音もなく進む崩壊と消滅への道程をできるだけ引き延ばすこと、すなわち事物の外部と内部をしっかりと分け、接しないように

するのがわたしたち芸術家の仕事だ。人生は、小さく
も強固な敵から身を守る闘いである。

2020 AHN

「抗議デモ」
20×30cm、紙に鉛筆、2020

モノ

　モノがあるべき場所にない。昨日今日に始まったことではない。ずっと前からモノたちは、ほんのちょっと目を離したすきに、とんでもないところに飛んで行ったり、消えてしまったり。わたしと一緒に暮らすのが気に入らないのか、暇さえあれば別の居場所を探しまわっているように思われる。どうやら、主人に仕える時間以外は自分らしい人生を送ろうと決心したようだ。

　とにかく必要とするときほど見当たらない。急を要するときほど、なおさらだ。眼鏡、カギ束、財布、携帯電話だけでなく、書棚の本と作業室にあふれる道具、ついさっき書いたメモ、そして大切な記憶まで、すべてがそんな始末だ。モノそれぞれが早足であちこち行

くから、使うよりも探す時間のほうが長いくらいだ。やっと見つけて元の場所に戻しても、留まるのはその一瞬だけ。ひもで縛りつけたり、細かいリストでも作っておけば少しはましになるかもしれないが、モノがたわわにぶら下がったひもがもつれてぐちゃぐちゃになる姿を想像すると、ぞっとする。ひもをいつもきちんと整理しておく自信はないし、作ったリスト自体が失われたモノになってしまう可能性も高い。

　ゆえに、もはやこうした状況を受け入れるしかないだろう。消えてしまったら、ないまま暮らす。「去るモノは追わず」というわけだ。箱と引き出しをたくさん作って、そのなかにモノを閉じ込めるよりは、修道僧

のようにミニマムな暮らしをするほうがいい。時が来れば、いつの間にか咲く花のように、消えたモノはまた姿を現すはずだ。

　だからいまは、散らかっている机の上をきれいに片づけて、いつ使うかわからないガラクタを捨てる時間。すなわち、わたしのほうからモノと決別する時間なのだ。

「椅子の用途」
20×30cm、紙に鉛筆、2016

涙の電気

　涙で電気を作ることができるという。ある研究所が論文を学術誌に発表したというから、単なるおふざけではないはずだ。用途についてはあえて調べなかったが、涙発電機が作られて涙発電所ができたとすれば、エネルギーの燃料、つまりたくさんの涙をどこで得るのか気になる。たとえば空港や駅で別れる人たちの涙を集める装置を調えるのか。それとも悲しい映画だけを上映する映画館を作るべきなのか。涙を大量生産する工場を建てたら、従業員は毎日涙を流した量に応じて賃金をもらうのだろうか。

　「世界の涙の総量は不変だ」という言葉があるように、人が生きるあらゆる場所で災難と戦争、不幸、別れが

たえず繰り返されている。だから涙の量は十分足りていて、世にあふれる涙をいかに集めるかが問題なのだ。気づかぬうちに目頭を熱くさせ、視界をにじませ、頰をつたって流れ落ちるこの小さな水滴を、受け止めるのはたやすいことではないだろう。

　川の水と風と日差し、さらには月の引力で電気を作り消費しているのだから、涙で電気を作れないはずはない。電気は文明化された社会をめぐる血液のようなもの。だから、死んだ木と草、三葉虫とプランクトンの残骸から生じる石炭と油を使い果たした人類が、もはや涙ではなく、ため息と憂うつと怒りと絶望などで電気を作るようになったとしても、ちっとも驚かない。

そうはいえども、「涙の電気」が暮らしを支えるという、
この時代の想像力には実に驚嘆するのみだ。

❘ 植物の時間

「機械越し」
21×30cm、紙に鉛筆、2018

ソトとナカ

　故障した機械は、分解してナカを見なければ直せない。どこが壊れているのかソトからはわからないからだ。機械を覆っているケースは、ナカで起きていることをソトから気づかれないように隠す。使う人は、機械がどのようにして動いているのか知る必要はない。いわゆる「ユーザーに優しい」「直感的なデザイン」のおかげで、説明書を読む必要もない。コンセントに差し込んで電源スイッチを押せば、あとは賢い機械がすべてうまく処理してくれる。わたしたちは結果だけを消費し、過程は機械に任せるのみだ。

　この分業は便利で完璧だ。ところがある日、突然機械が止まったり誤作動を始めたりすると、スイッチを

押すだけだった指は、まったく無力になってしまう。必死に機械を分解しても、暗号のように複雑な配線板の前では、すっかりお手上げ。最近の機械には「勝手に分解しないでください」という警告文まで貼られている。わたしたちには、日常の境界を越えて機械の世界のナカに入る権限は与えられていない。結局、壊れた機械を捨て、新しいものに買い替える。わたしたちは機械の持ち主であるにもかかわらず、それらのナカについては何も知らない。もちろん機械も、持ち主が抱えている心配事にはまったく関心がない。

　このような関係が、わたしたちの暮らし全体を支配する。トラブルは見えないところで起き、トラブルが

起きた場合にできることはほとんどない。わたしたち
は事物のソトだけに興味があり、それらのナカには無
関心だからだ。問題は、冷蔵庫や洗濯機が故障したと
きだけでなく、自分や所属する集団、運命を定める制
度そのものが壊れたときにも、わたしたちはほとんど
無力であるということだ。

2018
AMN

「ガラスのコップ」
20×30cm、紙に鉛筆、2018

ガラスのコップ

　1個のガラスのコップが床に落ちて割れる瞬間の音を、1分、1時間、あるいは1年に延ばすとどうなるか想像してみる。砕け散る音の総量は同じだが、小さく長く続くため、時が経つにつれて別の次元のものになる。わたしたちは、それをガラスが割れる音だと認識しない。ガラスのコップも、自らの体が粉々に砕けていくことに気づきはしないだろう。

　わたしたちの人生を、よりによって割れるガラスのコップにたとえるのは気がひける。だが人生も、まるでじわじわ壊れていくガラスのコップのようだ。子どもは大人になり、青年は老人になり、記憶は嘘のように消えていく。わたしたちは、気づかないほどゆっく

り進む破壊によって生じる細かい破片の霧のなかにい
る。予想通りにいかず、取り返しのつかない結末を迎
えた後、初めてその意味を理解する。そしてようやく、
自分の愚かさをとがめ、歳月のはかなさを嘆く。

　しかし、わたしたちが人生の重みに耐えうるのは、
たっぷり時間があるからだ。人生は1秒が数万倍に引
き延ばされたようなスローモーション。そうでなけれ
ば、わたしたちもガラスのコップのように、一瞬にし
て粉々になってしまうだろう。

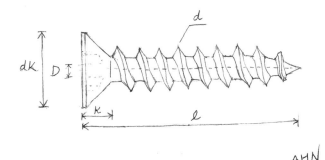

d

dK D

k

ℓ

AHN

「ねじ釘」
20×30cm、紙に鉛筆、2019

ねじ釘

　ねじ釘は釘の一種だが、釘とは違う。ハンマーで1、2回打てば木に刺さる釘とは異なり、ねじ釘は回転運動を数十回繰り返しながら徐々に食い込んでいく。最短距離を進むのではなくゆるやかに迂回しながら、力で打ちつけるのではなく粘り強く説得しながら目的を成し遂げる。木は悲鳴を上げることもできず、自分の体に加えられる暴力に甘んじる。こうして押し込んだねじ釘は、抜くのも一苦労だ。取り除くには、反時計回りに回さねばならない。ねじ込んだときと同様に粘り強く木を説得しながら。

　わたしの体のなかにもねじ釘が入っている。歯医者のインプラント治療で埋めたねじのことではない。も

しかすると、わたし自身が無数のねじ釘の集合体なのかもしれないという意味だ。世間という名の教練場が打ち込んだねじ釘、知らぬ間に少しずつわたしの奥に突き刺さりいまの自分を作った異物たち。数々のねじ釘でできた習慣と観念の塊が、まさにわたしなのである。それらがわたしを形成したのであれば、もともとの「わたし」とは、果たして何者だったのか。そもそも「もともとのわたし」は、本当に存在したのだろうか。

　歯医者で口の中にもうひとつねじ釘を埋め込みながら、自分の中でゆるみはじめた多くのねじ釘について考える。あちこちでギシギシときしむ音が聞こえてくる。そろそろ、それらから解放されるときがやってきた。

いまは少しずつ元通りにする時間。もしかすると何もな
かったかもしれない、もともとのわたしに戻る時間だ。

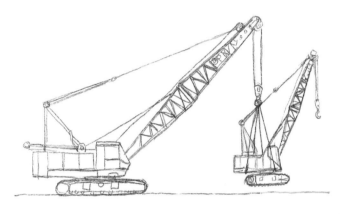

AHN

「クレーン」
21×29.7cm、紙に鉛筆、2019

慣性

　岩はちょっとやそっとでは動じない。流れる水もめっ
たなことでは止まらない。岩は留まりたいと望み、水
は流れたいと望む。岩も水も、いまあるがまま続くよ
うに願う。これをわたしたちは、事物それぞれの慣性
と呼ぶ。慣性を支配するのは重力だ。事物を慣性から
脱するようにするには、重力を説得しなければならず、
事物が持つ質量や運動量を超える大きな力が不可欠だ。
流れる水をせき止めるためには巨大なコンクリートの
ダムが、岩を運ぶにはそれよりもっと重いクレーンが
必要だ。

　日常のささいな習慣も、わたしたちが歴史と呼ぶ時
代の流れも、岩や水のように慣性に支配されている。

その慣性から世界を切り離し変えていくのが人間の業
だとすれば、成否を決定づけるのはわたしたちが慣性
を凌駕する大きな力を持っているかどうかだ。では、
わたしを支配する慣性とは何か。アイデンティティと
いう名で自分に潜在する惰性と偏見の岩を掘り出し、
いつも同じ流れに任せようとする考えを他の場に向け
る。そんな力をわたしは持っているだろうか。

「自分で蒔いた種は自分で刈り取る」
20×15cm、紙に鉛筆、2014

バランスの問題

　重力のある地球で暮らすかぎり、わたしたちはバランスの問題を考えざるを得ない。歩いて走って止まって方向転換するすべての行為は、不安定な地上で均衡を保つことを前提としている。

　わたしたちの体が左右対称なのは、このような条件に対するごく自然な反応だ。体のバランスを維持する器官は、耳の中のカタツムリ管にあるという。それにしても、なぜそこに存在するのか。バランスを取ることと音を聞くことには、なにか格別の関係があるのだろうか。カタツムリ管は、いわば計器盤であり、その信号を受けてわたしたちの体はバランスを取る。カタツムリ管が作動しなかったり、信号に体がまともに反

応しなかったりすれば、あっという間に倒れて大ケガをし、途方に暮れるばかりだろう。

　わたしたちを爆笑させるドタバタ喜劇から慟哭させる大規模な災難にいたるまで、すべての倒壊、バランスの喪失、崩壊、沈没の原因はここにある。沈没する船には傾く船体を立て直すバラスト水を入れる空間と計器盤があり、船員がいた。船員たちにも耳があり、カタツムリ管があった。それにもかかわらず、作動しなかった。わたしたちがそれに気づいたのは、ゴールデンタイム、すなわち事故直後の生存率の高い時間帯が過ぎ去った後、すべてが砂粒のように砕けて石のように固まった後だった。

&booksの
BTSセラー

V	RM	JIMIN
▼	▼	▼

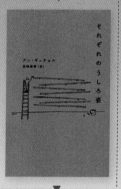

家にいるのに 家に帰りたい	**それぞれの うしろ姿**	**死ぬより 老いるのが心配だ**
		80を過ぎた詩人の エッセイ
クォン・ラビン 著 桑畑優香 訳	アン・ギュチョル 著 桑畑優香 訳	ドナルド・ホール 著 田村義進 訳
定価：1,320円（税込）	定価：1,540円（税込）	定価：1,540円（税込）

「著者の言葉に
とても癒され、
共感しました」
Vが心を動かされた
韓国エッセイ

家にいるのに
家に帰りたい

クォン・ラビン 著
桑畑優香 訳

定価：1,320円（税込）

四六変型判 204ページ
ISBN 978-4-7778-2751-0

"自分らしくいたい"あなたに寄り添う言葉たち。2020年グラミーミュージアムのインタビュー内でVが最近心を動かされた本として「著者の言葉に癒され、共感した」と紹介し大きな注目を集めたエッセイ。著者の優しくまっすぐな言葉が"自己肯定感を高めてくれる"と共感の声が続々。不安やとまどい、孤独、愛の痛みと幸福、たとえようのない感情にそっと寄り添ってくれる一冊。

食べものの好みも、寝る時間もみんなバラバラ。
身長も体重も、瞳の色だって微妙に違う。
それを不思議に思わず、
自然に受けとめているように、
わたしたちは、ただ違うだけ。
間違っているのではなく、ただ違うだけだから。

――本文より

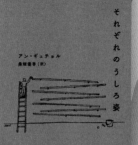

それぞれのうしろ姿

アン・ギュチョル
桑畑優香〈訳〉

RMが
無言で投稿した
芸術家の
スケッチと
エッセイ

それぞれの うしろ姿

アン・ギュチョル 著
桑畑優香 訳

定価：1,540円（税込）

四六変型判 292ページ
ISBN 978-4-7778-2870-8

すこしだけ立ち止まってしまったあなたへ
「あらたな視点」をもたらす言葉たち。

RMがファンのためのオフィシャルコミュニティ Weverseに本の一部を撮影しシェアしたことで話題のエッセイ。現代美術家のアン・ギュチョルがスケッチブックに記した67のエッセイとイラストは、わたしたちの思考をときほぐすと同時に、前向きな気づきを与えてくれる。

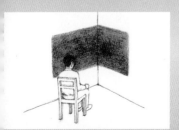

"まったく予想外のことでした。5月に釜山国際ギャラリーで開いた個展に、RMが来ました。意外にもRMが私に本を差し出しサインをしてほしいと言うので、何気なくサインをしたんです。すっかり忘れていた数週間後、出版社に本の注文が殺到していると聞きました。

『それぞれのうしろ姿』の最後のエッセイ「はがき」で、自分の文章を「宛先のないガラス瓶に入った手紙」にたとえましたが、突然多くの読者から注目を浴びるようになったのが信じられません。私が書いた文章の数々が見知らぬ遠くの誰かに共感と癒しを与えるのは、著者としてこの上ない喜びであり幸運です。"

──現代美術家 アン・ギュチョル インタビューより

たちまち
4刷!

BTSのアルバム
『BE』の
コンセプト会議で
JIMINが語った
話題のエッセイ

**死ぬより
老いるのが心配だ**
80を過ぎた
詩人のエッセイ

ドナルド・ホール 著
田村義進 訳

定価：1,540円（税込）

四六変型判 204ページ
ISBN978-4-7778-2885-2

桂冠詩人が綴った、“今”を自分らしく生きていくための言葉たち。

2020年11月にリリースされたアルバム『BE』のコンセプト会議でジミンが言及した一冊。自身の“So What（BTSの曲名）”を考えてみたとして本書をあげ「年をとったとか若いとか、年齢に基準を置かないで」というメッセージが込められているとシェアし話題に。“老いは未知で、予期できない銀河系でありつづけるが、人生は依然として自分のもので、そしてそれは続いていく。その人生もまた輝いて美しい”とドナルド・ホールは語る。

自身の癌、最愛の妻の死を経て80代になり、そこから見える風景、過去を振り返りながら今を生きることを静かに、リリカルに、そしてユーモラスに描いた爛熟のエッセイ。

死と年をとることについてありのままの現在を見つめる桂冠詩人のまなざしは、“今”を自分らしく生きていく方法について、さりげなく教えてくれる。

● この出版案内は2022年3月現在のものです。
● 定価はすべて税込み表示です。消費税（10%）が加算されております。
● ご購入方法：お近くの書店またはネット書店にてお求めください。
● 内容については編集部にメールでお問合せください。info@tg-net.co.jp

お問合せ先▶

辰巳出版株式会社

〒113-0033 東京都文京区本郷1-33-13 春日町ビル5F
TEL 03-5931-5920（代表）　FAX 03-6386-3087（販売部）
E-MAIL info@tg-net.co.jp　https://TG-NET.co.jp/

人間が名づけた事物が、こぞってその名に背くことがあるのだと知った。わたしたちの社会にも、バランスを維持するためのカタツムリ管が存在するはずだ。それがまともに作動せず、ゴールデンタイムを逃しているかもしれないという予感。それが、現代を生きるわたしたちを包む不安の原因である。

「9匹の金魚」
21×35cm、色鉛筆、2015

花木のデッサン

　5月には満開だった裏庭のツツジとサツキの花がすべて散り、剪定ばさみで枝を切り落とした。無情なようだが、その隣に新たに植えたライラックの若木に日が当たるようにするには、大人の背丈ほどに伸びきったツツジの枝を切らねばならない。何年ものあいだ伸びるがままにしていた枝がもつれ合い、小さな密林を成していた。

　木の枝はどれも同じように見えるが、実はまちまちだ。ある枝は青葉を率いて自分なりの活路を見いだし生き残り、ある枝は漠然とした未来にひたすらためらい、また別の枝はだいぶ前から成長を止めて枯れていた。生気を失った枯れ枝は、手で触れただけでポキッ

と折れるほど弱々しいが、しっかり形を保っていた。

　1本の花木の中でさえ、成功と失敗、生と死が交錯する。木は可能性に向かって伸びる枝に水分と栄養を与えるが、そうでない枝はばっさり切り捨てる。死んだ枝は、みずみずしい葉を広げる枝たちのあいだで静止画のように動かず、自分が歩んできた道を身をもって示す。誰も歩かない人里離れた道のような、白く乾いた枝。華やかな花木の体内には無数の失敗の記憶が保存されている。それは、完全なる1本の線を描くために数多くの線を引いては消す、画家のデッサンのようだ。

lovelovelovelove ✈ lovelovelovelovelove
lovelovelovelovelovelovelovelovelovelove
lovelovelovelovelovelovelovelovelovelove
lovelovelovelovelovelovelovelovelovelove
lovelovelovelovelovelovelovelovelovelove
lovelovelovelovelovelovelovelovelovelove
lovelovelovelovelovelovelovelovelovelove

AHN 2015

「愛の海を渡って」
40×23cm、紙に鉛筆、2015

合図

　夜明けに机に向かっていると、教会のほうから誰か
が「父よ」と呼ぶ声がかすかに聞こえてくる。カササ
ギとスズメ、シジュウカラがにぎやかに鳴き、あちこ
ちの犬が互いの安否を尋ねるように交互に吠えはじめ
る。知らない外国語のようなそれらの叫びと鳴き声は、
はっきりとした意味を持たぬまま、この渓谷で一日の
始まりを告げるBGMとなっている。

　これらの音とともに、いつも同じ日、つまり誰かを
大声で呼んだり、自分の領域に侵入する人に警告を与
えたり、自分がここにいて誰かがそこにいて昨日と変
わっていないと世の中に知らせるため、一生懸命に合
図を送る一日がスタートする。

おそらく、それらが放つ合図には受け手がいるはず
だ。毎日同じ合図を送るのは、誰かから返事が来るか
らだろう。それらと比べると、カタツムリが這うよう
に音もなくノートに鉛筆で記すわたしのこのささやき、
長い沈黙の末に吐き出す短いため息のようなこの独白
は、誰に向けているものなのか。父はずいぶん前に亡
くなったし、わたしがここに存在することを誰かに確
認してもらう理由もないのに、わたしはいったい誰か
らどんな返事を求めているのだろうか。

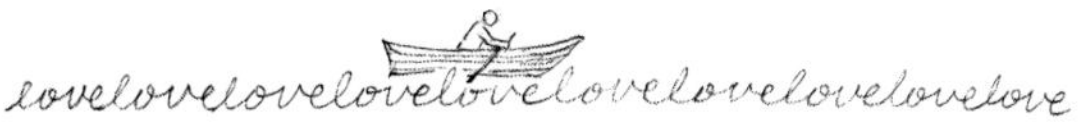
lovelovelovelovelovelovelovelovelove

2015 AHN

「ハンカチ」
20×30cm、紙にインク、2015

音

　機械はそれぞれ異なる音を出す。木を切る電動ノコ
ギリも、鉄に穴を開けるドリルも、本来やるべき仕事
をこなすあいだに、どこか恩着せがましくけたたまし
い音を出す。切断されたり穴を開けられたりしながら、
素材はもがき苦しみ悲鳴を上げる一方で、機械は渾身
の力を振りしぼりわめきたてる。しかしわたしたちは、
よほどのことがない限り、それらの音を気にかけない。
それらがどんな音を出すのか、機械や素材のどちらが
より痛切な音を発するのかには、関心がない。機械や
素材というのはそんなものだと、聞き流している。

　機械を作る人たちは、それらが想定外の音や塵、熱
を出すこともあると知っている。しかしその人たちも

また、気に留めない。ノコギリはよく切れれば良し、ドリルはきれいに穴を開けられれば良し。作り手は、機械がどんな音を出そうが、自分たちの管轄外だと考えているのだ。わたしたちの周りにある音のほとんどが、そんな感じだ。機械を作る人と使う人が管轄する区域の外で、音は集まりひとつの世界を築く。工事現場、工場、自動車、そして家と道路と都市がまきちらす騒音は、少なくともそれによって病む人が出るまで規制されることはない。世界は、ほったらかしにされた音で満ちあふれ、その音のせいで耳を傾けるべき音がかき消されている。

2017,11 AHN

「木が書いた文章」
20×30cm、紙に鉛筆、2017

木に学ぶべきこと

　夏のあいだずっと、裏庭にあるケヤキの木から枯れた枝が落ちつづけていた。親指と人差し指を広げた長さにも満たないが、小枝を複数つけた、かなり太いものもあった。葉がなく、カラカラに乾いたそれらは、強い風や鳥の羽ばたきのせいで折れたのではない。木が自ら落としたのだ。

　どの枝を生かし、どの枝を捨てるか。それを判断して実行するのが木の仕事だ。自分の体で育つ枝たちを1本ずつ注意深く見守り、切り捨てる。これを怠れば、枝は偏った方向に伸び、木はいつかバランスを崩して倒れるだろう。日当たりの良い場所を求めて多くの葉を出そうと先を争う枝たちを仲裁し、方向を調整して、

条件にそぐわないものは容赦なく切り落とす。こうして木は幹を中心にバランスを保つ。

　わたしにも木のように四方に伸びる数多くの枝がある。自分が耐えうる限界を決め、それらのなかから生かすものと捨てるものを選別せねばならない。なかなか思い通りにはいかないが、ひたすら自分を見つめ、捨てるべきものを潔く切る木の決断力には学ぶものがある。木は、1ヵ所に根を下ろし何かが起きるのをただ待っているのではない。忍耐と余裕だけでなく、熾烈をきわめる自己省察と言葉なき決断こそが、木が持つ美徳である。

　11月。わたしとともに夏の暑い日差しと雨風にあえ

いできた木の葉たちを見送るときがやってきた。庭の落ち葉を掃きながら、淡々とした別れを受け入れる方法を木に学ぶ時間だ。

Ⅰ　植物の時間

살아가다 2018 AHN

「なんとか生きている」
20×30cm、紙に鉛筆、2018

なんとか生きている

　ずっと前、誰かが「살아지더라 (生きてたよ)」と言ったとき、わたしには「사라지더라 (消えてたよ)」と聞こえた。その人はわたしの記憶からしばらく消えた存在だったので、そう聞こえたのかもしれない。「生活は苦しいけれど、なんとか生きている」という意味だったのだろう。「ただ」「それなりに」「ひっそりと」「日々」「悔恨と懐古の念に駆られながら」「何事もなかったように」「未来に何の期待もせず」などの修飾語がまったく不自然でない言葉、「生きている」

　「久しぶり。どうしてた？」と再会を喜びつつ儀礼的なあいさつをしたわたしに、その人が何事もなかったように返した短い言葉には、尋ねた相手をきっぱりと

突き放す気持ちが表れている。「大丈夫」「仕方ないけれど運命だと思う」「自分で乗り越えるしかないから生半可な同情などいらない」という意味を持つ言葉。「生きる」「生きてきた」「生きていく」「生き延びる」「生き残る」ではなく、「生きるしかなく」「生きてしまう」人生。結局、人生から自分を消してしまうような、そんな生き方。

「9枚の葉」
21×30cm、紙に鉛筆、2018

種

　植物は、死があってこそ生があると知っている。別
れてこそ出会いがあり、捨ててこそ得るものがあり、
離れてこそ戻ることができると。冬が訪れる前に、愛
情を注いだ葉をすべて落とし、待ちわびた末にまぶし
く開いた花びらを、一瞬の風に乗せて飛ばさねばなら
ないとわかっている。輝く日々には終わりがある。一
株の小さな草でさえ、それを心得ている。未練と後悔
に苛まれて、チャンスを逃す人間よりも優れている。

　晩春のある日、土を掘り返して砂利を取り除き、種
をまいた。花の種のなかには、その花の前世、すなわ
ちはるかなる地質学的な過去の記憶が入っている。種
の記憶は、硬い表皮の奥にある狭くて暗い胚の中で未

来へと運ばれる。遠い場所へ旅立つために、植物はちっぽけな砂粒のような姿になる。どこかの街の太陽の光と風のなかで再び花を咲かせることを約束し、思い思いに散らばっていく。いまいる場所とは異なる、いわばユートピアに向かって、数千、数万分の1の可能性に向かって、自らを送り出す、無謀な楽観主義者たち。決して屈することのない希望に満ちた植物を見つめながら、わたしたちの恥ずべき姿を省みる。

AHN

「冬の夜」
20×30cm、紙にペン、2014

植物の時間

　裏庭の背の低い花木たちは、冬のあいだ何をしているのか。春から秋まで、緑の葉と赤い花を思いきり広げていたサツキとツツジは、冷たい冬風が吹く数カ月間、ずっと静止画のように窓に映る。朝になると数羽のシジュウカラがやってくる。だが、日が昇ってから暮れるまで、ゆっくりとわたしの周りを移ろう影だけが変わる風景のなかで、サツキとツツジは、乾いた小枝を四方に伸ばし、眠っているのか夢見ているのか、微動だにしない。花木だけでなく、冬はあらゆる虫や雑草までもが変わらぬ姿で厳しい時間を耐えている。

　だが、わたしたちには、それらを憐れむ資格があるのだろうか。その小さなものたちが無慈悲な自然にあ

らがわず、岩のように黙々と時を待っているのに、わたしたちはなぜ時を待てずに苦悶し、葛藤するのか。虚しさを何かで埋めるために、じっとしていられないわたしたちの焦りは、植物たちからしたら滑稽に映ることだろう。ひとりでいることが寂しいとか、人生に意味があるとか、ないとか。そんな愚痴さえ恥じる一年になるように、自分のなかに潜む植物の時間を目覚めさせる新しい年になるように、冬の木々の前で願う。

II　20個の単語

「散歩道」
27×19.5cm、紙に鉛筆、2014

　ある行為について叙述する文には、行為の主体を表す主語がある。ところが、「風が吹く」「春が来る」のような文の主語は、「わたしは歩く」などの主語とは異なる。「風」や「春」は文法的には主語だが、「吹く」や「来る」という行為はそれらの意思によるものとはいえないからだ。「風」や「春」には意思がない。風が吹くのは風が望むからではなく、春が来るのは春が願うからではない。それらのうしろには、別の力、表には姿を現さない主語がある。これを、ある人は自然の法則と言い、ある人は神の摂理と呼ぶだろう。わたしたちの周りで起きる多くのことには、そのような力が働いている。

ところが、事物ではなく人間が主語となるときでも、状況はさほど変わらない。自分ではなく他者の意思に背中を押されて主語の位置につくものの、真の主語はうしろに隠れているケースが多い。「わたしは歩く」という文では、歩く主体は「わたし」だが、そのうしろにはわたしを歩かせるまた別の主体が存在する。たとえば「恐れ——取り残されることに対する、止まっていることに対する、歩けなくなることに対する恐れ———がわたしを歩かせる」と書き換えると、「わたし」はいとも簡単に主語の位置から追い出されてしまう。

　もしかすると、わたしたちが生きている世の中において、個人は主語の位地に置かれているようで、実際

は何かの目的語として永遠に使われているだけかもしれない。真の主語がない世の中。主人公が誰もいない世の中。「欲望」や「恐れ」のように見えざるものが、ただひとつの主語として君臨している世の中。

AHN 2015

「終止符」
20×30cm、紙にペン、2015

名前について *

　詩人の金春洙は、「わたしがその人の名前を呼んだとき／その人はわたしのもとに来て／花になった」と綴った。これに応えるかのように詩人の陳恩英は、「わたしが名前を呼ぶ前に消えてしまったものたちよ／わたしが口を開く前に消えてしまった母音たち／手を浸す前に流れてしまった川の水よ」と書いた。ふたつの詩は、いずれも「名前を呼ぶ」という行為を軸にしている。

　詩人は「ただひとつのモノにすぎなかったもの」や「名を口にする前に消えてしまったモノたち」の名前を呼ぶ人だ。あつかう素材が違うだけで、美術家の仕事も詩人と同じである。事物の名を呼ぶのは、それらを他のモノから区別し、消えてしまった後でもその存在を

示すため。事物に名前があるのは、ややもすれば、それが他のモノに混じって川の水のごとく流れてしまう可能性があるからだ。名前を持っているのは、幸運なことだ。名前がなければ、そのモノがなくなるとともに消えてしまう。名前を忘れたら、すべて忘却の彼方(かなた)に葬られる。名前がなければ、過去は記憶されず、未来も想像できない。だから名前を呼ぶのはとても重要だ。名前は、現在にばかり囚(とら)われたわたしたちを束縛から解き放ち、過去と未来に向かわせる。目の前にはないモノの名前を呼ぶことで、「見えない国」を見せるのだ。名前を通じて、わたしたちは初めて「歴史的な時間のなかで与えられた義務と必要を超えた存在」**になる。

だが、名前は永遠ではない。モノがそれを指す名で呼ばれなくなったとき、わたしたちはその名前を捨てねばならない。まだ現出していないモノを呼ぶためには、名もないモノに名前をつけねばらない。芸術家とは、死んでしまったり古ぼけたりした名前を消して、まだ名前がないモノ、新たにわたしたちの周りに現れる見慣れぬモノに名前をつける人たちだ。芸術家として重要なのは、名を売るために何をすべきかではない。モノにどんな名前を与えるか、その名が単なる雑音や騒音にならないようにするにはどうすべきか。しっかり考えることが大切なのだ。

＊2015年韓国総合芸術学校美術院卒業展示図録「学生たちに送る手紙」より
＊＊ラックス・メディア・コレクティブ「遠い星の光―芸術、行為主体、政治についての瞑想」

AHN

「無題」
21×29cm、紙に鉛筆、2014

騒音について

　夜明け前の世界は静まり返っているようで、実はにぎやかだ。ささやき、独り言、嘆きとため息、雑談と冗談、非難と中傷、悲鳴と喚声、主張と命令、くだらないお世辞や無意味な話、単なるオウム返しや守られることのない約束、誰かに言わされているだけだったり沈黙に耐えられなかったりして吐きだす言葉。そんな音が、どこかでたえず生まれつづけている。

　わたしたちが創った事物もそれらなりの音を出し、自然もそれらなりの音を立てる。雷と雨風と波の音、花びらが落ちる音、幼虫が脱皮して飛び立つ音。まるでばらばらになった本のページのように、すべての音は空間ごとに分離され、わたしたちは自分が望む音だ

けを耳にする。その他のすべての音はさえぎられ、ド
アの外からかすかに聞こえるのみだ。こうして、わた
したちはピアノソナタや人の話に耳を傾ける。言葉や
音楽にとって、静寂と沈黙は光であり、騒音は音を飲
み込む闇である。

　ところで、もしわたしたちが生む音の総量がひたす
ら増加し、静けさの空間、すなわち静寂の総量が果て
しなく減少したら、どうなるのか。音は意味を成さぬ
まま、わたしたちの口から流れだして騒音となり、世
界は巨大な雑音の渦に吸い込まれてしまうだろう。そ
うなれば、音を聞くためにもっと大きな声を出し、そ
れぞれが発する大きな音は、状況をさらに悪化させる

だろう。この悪循環から抜け出すために、わたしたちはもっと小さな声で話す術を学ぶべきだ。無意味な言葉を極力減らし、沈黙する方法を知るべきだ。

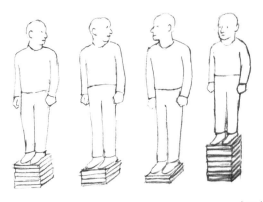

AHN

「平等の問題」
20×30cm、紙に鉛筆、2014

言葉の廃墟から

　児童養護施設や老人介護施設の名前には、それらの施設が切に望みながらも得られぬものが表れている。「希望」や「愛」という単語を含む名前の施設が、希望や愛を心の底から求めていると吐露しているように。

　政党が自らつける名前も同様だ。選挙に敗れるたびにそれらは名前を変え、いまでは申し合わせたかのように「新しい」という意味の単語を使うようになった。「新しさ」は、保守派か進歩派かを問わず、政党が切に望みながらも得られぬものだ。それらが掲げる革新、創造、改造、未来といった言葉に込められた、「新しさ」に対する熱望、過去との決別、今日とは異なる明日への思い。それらは残念ながら、政党が（そしてわたしたちが）

無能であることを、実現は不可能であることを、逆説的に表しているのだろう。

　ある言葉を掲げるときには、その意味に対して責任を負うべきだ。おざなりに使うと、結局、言葉を殺してしまうからだ。「新しい」という言葉が指すものが、もはや新しさを失ったとき、わたしたちはその死んだ言葉を捨てて、それに代わる新たな単語を探さなければならない。実現しない空虚なスローガンを掲げ、消耗し捨てられる無数の言葉の廃墟のなかで、芸術はむしろ言葉を慎む方法を、いっそ沈黙する方法を学ぶべきかもしれない。言葉と言葉のあいだの余白、沈黙は、まだ損なわれていない唯一の領域だからだ。

AHN

「3人」
30×20cm、紙に鉛筆、2014

AとBの問題

　AはAでなければならないのに、AではなくBである
という事実が、わたしにとって長年の問題となってい
た。なぜわたしたちの言葉と行動は一致しないのか。
どうして言葉はいつも本来の意味を失い、空っぽの記
号になってしまうのだろうか。何ゆえに人間は人間で
なく、言葉は言葉でないのか。わたしはかつて、芸術
家の仕事とは、言葉で定められた約束が守られている
か監視し、破られたら批判して、規則通りに世の中が
動くようにすることだと考えていた。いわば言葉と意
味の守護者として、検察のように違反行為を告発する
のが芸術家の責務だと思っていたのだ。

　しかし、これは地平線の向こう側にある何かに惹か

れる芸術的な心とは、相反するものだった。星の彼方（かなた）を見つめ存在の深淵をのぞきこむ詩の世界と、被告に対する検事のような論考のはざまで、可能性と当為性のはざまで、わたしは常にぐらぐら揺れながら、どうにかバランスを取っていた。

　AはAではなくBである。それがこの世の常であり、そこで生きるのがわたしたちの運命であるならば、AではなくBであるAの問題を同じようにあつかう意味があるのか。同じ話を繰り返しているにもかかわらず、それに気づかないふりをして、慣れ親しんだ道を歩いていただけではないか。AがAではなく、BでありCであるかもしれないと語ることこそが、芸術家の役目で

はないだろうか。

　同世代の芸術家たちが回顧展を開き、作品集をまとめてアーティストとしての人生を整理する年齢になったいま、遅ればせながらこんなふうに考える。わたしは当然Aであり、Aであらざるを得ないが、同時にBであり、Cであるかもしれないと言うべきであると。

기울어진 땅
2016. AHN

「傾いた土地」
20×30cm、紙に鉛筆、2016

「아프지 말고……행복하자（元気で……幸せになろう）」*
という歌詞に心が痛む。普段よく交わす言葉だが、こ
のふたつの願いは、いずれもわたしたちの意思ではい
かんともしがたい領域にあるからだ。元気でいたいと
思っても病を避けるのは難しく、幸せは望めば手に入
るものではない。

　これらの言葉には、文法的な誤りがある。動詞のよ
うに使われているが、「아프다（痛い／苦しい）」や「행복
하다（幸せだ）」は形容詞で、〈日本語の「幸せだ」は形容動
詞だが、韓国語の「행복하다」は形容詞〉、「わたしたち」や「あ
なた」のような主語は、それらの状態に関与できない。
無理やり主語をつけることはできても、述語の状態を

意のままにするのは不可能な、仮主語にすぎないのである。「わたしは行かない」という文の「行かない」という行動の主体は「わたし」だが、「わたしはしんどくない」というときの「しんどくない」状態を作る主体は、「わたし」ではない。わたしをしんどさから解放してくれるものは何なのか。わたしにはわからない。「幸せになろう」というときも、幸せな状態は外部の他の条件によって作られ、わたしたちの意志とは無関係だ。それにもかかわらず、この虚しい誓い、わたしたちのものではない他の領域による意志と選択を、まるで自分たちのものであるかのように錯覚させる、この無謀な言葉の魔術。その誓いは実現不可能であるのが、残

念で仕方ない。

*Zion.Tの曲「楊花大橋」の歌詞の一節。

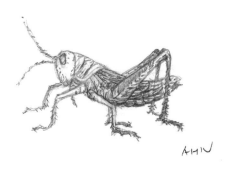

「幼いコオロギ」
23×15cm、紙に鉛筆、2017

コオロギはなかない

　明け方に目が覚めて窓際に座っていたら、もの哀しいコオロギのなき声が聞こえてきた。こんな時間に悲壮感を漂わせ震えるコオロギを、気に留めるものはほとんどいない。「なく」と書いたが、他に合う言葉がないからそうしただけで、コロコロと音を立てるコオロギが、本当にないているのかはわからない。

　コオロギだって、ないてばかりはいられない。生涯ずっとないていた親コオロギのあとを継ぎ、子コオロギの子どもとそのまた子まで、子子孫孫、ひたすらないて歳月を重ねるわけにはいかないだろう。「コオロギがなくのは、秋の訪れや世の中と別れる日が近づくのを憂いたり、伴侶を求めているからだ」と、人間は言う。だがそれは、わた

したちの勝手な思い込みかもしれない。人生の終わりが近づくのを嘆くのは人間であり、自分と同じように虫も伴侶を見つけるために必死でなくと信じるのも人間なのだ。

　もしかすると、コオロギには、これらとまったく異なる、わたしたちが想像すらできない理由があるのかもしれない。コオロギも知らない理由。喜びや悲しみという人間の感情とはまるで関係ない、コオロギの実存とかかわる根源的な事由があるのだろう。外の世界に向けて必死にシグナルを送るコオロギは、隠れた住処を天敵に見つけられる危険におのずとさらされる。よって、命をかけるに値する、切実な理由があるはずだ。もしかすると、ある絶対的な存在との交信を試みているのだろうか。だから、

コオロギが「なく」と簡単に言うのはよろしくない。コオロギが出す音に「うら悲しい」とか「寂しい」とか、わたしたちの感情を手前勝手に当てはめてはいけないのだ。

この文章を書いている30分ほどのあいだ、コオロギは同じ音の高さとボリュームを保ちながら、休まず音を出しつづけている。それは「なく」という動作を超えている。自らの時間とエネルギーすべてをひとつの行為に捧げる小さな生命体。その姿を「自分の運命を嘆いている」と、いとも簡単に決めつけてよいのだろうか。コオロギは、悲しいわけでも、ないているわけでもない。悲しくてなきたいのは人間だ。わたしたちの代わりに、コオロギがなく。秋が来たのだ。

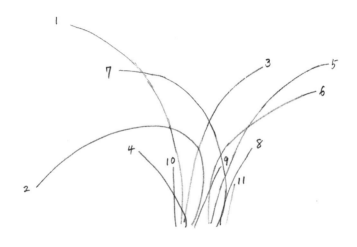

1
7
3
5
6
2
4
10
9
8
11

풀 그리는 법
2018 AHN

「草を描く方法」
21×30cm、紙に鉛筆、2018

雑草

　わたしたちがそれらを嫌い、軽蔑の意味を込めてその名を呼ぶのは、それらがわたしたちの生活に何ももたらさないからだ。穀物のように食べることもできないし、花を見せることもない。ただ大きな場所を占め、わたしたちが育てる花や野菜にもたらすべき養分と日光を奪う。自分のためだけに成長し、繁栄し、人間には何も残さない。ゆえに雑草は役立たずで、除去すべき対象なのだ。

　されど、数千年の人間の歴史のなかで厭われ侮蔑されつつも、雑草が粘り強く種を保存し、人に立ち向かってきたのには、それなりの理由があるのだろう。もし雑草が人間のように考える力を持っていたら、それら

にとって人間は、雑草のような存在となるだろう。休みの日に畑で腰をかがめ、しぶしぶ草取りをするわたしは、それらにとって何ももたらさずにすべてを奪っていく利己的な存在、自分だけ成長して栄え、他者のためには何も残さない雑草であるに違いない。

「夜の窓」
21×30cm、紙に鉛筆、2019

紙一重

　「紙一重」という言葉がある。冬支度をしながら、家の古い窓に新しい雨戸を取り付けながら、ふとこの言葉が浮かんだ。レールの上を滑らせて動かす引き戸も、蝶番（ちょうつがい）で支える開き戸も、開くか開かないかは紙一重、つまり、わずかな差次第だ。1、2ミリずれるだけでぴたりと収まらなかったり、きしむだけでびくともしなかったり。だからといって、むやみやたらに余裕を設ければ、すき間風が吹き込んだり、窓がガタガタしたり、枠から外れてしまったりするだろう。熟練した大工なら簡単に済ませるはずのこの作業を、わたしは数々の試行錯誤を重ねた末、ようやくやり終えた。　寝室の引き戸は開閉が重く、書斎の開き戸はゆるいが、時が

解決してくれると信じている。

　紙一重の差で窓が開き、紙一重の差で窓が枠にはまるのと同じように、わたしたちもいま、ここにいる。紙一重の差でここに存在し、紙一重の差でこれ以上存在できなくなる。人生は持つも失うも、紙一重。かすめ通る数多くの「紙一重」のあいだを、今日という日が奇跡のように過ぎていく。

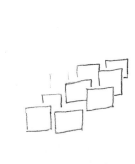

2020 AHN

「10個の石」
21×30cm、紙に鉛筆、2020

20個の単語

　ドイツに留学していたとき、夏休みはいつも工場で
アルバイトをしていた。一緒に働いていた人の多くは、
ギリシャやユーゴスラビアからの移民労働者だった。
ドイツで20年近く暮らしている中高年の男性がほとん
どだったが、ドイツ語は皆、初級にも満たないレベル。
わずか20個ぐらいの単語を駆使して、他の国から来た
同僚とそれなりにコミュニケーションを取っていた。
休憩時間に冗談を交わしたり、時には言い争ったりす
ることも。複雑な冠詞や不規則動詞の変化、分離動詞
といったドイツ語文法は完全に無視して、動詞の原形
と簡単な名詞をいくつか並べるだけで、お互いの言葉
を十分理解しあっていた。

ふと思う。家に閉じこもり、携帯電話の電源もたいていオフにして、一日にわずかな言葉しか発しない最近の生活で、わたしが使う単語は果たして20個もあるだろうか。ともすれば、はるかに少ないかもしれない。では、言葉があふれる外の世界で、人々はいくつの単語を使うのか。やはりせいぜい20個ぐらいだろう。良い言葉はすべて地平線の向こうに消え、きつく、騒々しく、卑しく、恥を知らない、帰するところすべて同じ言葉が支配するこの世の中に、意味があるまともな言葉は20個も残されているだろうか。

「アラビアータトマトソース」
21×30cm、紙に鉛筆、2020

言葉の有効期限

　言葉にも有効期限がある。掲載日を過ぎた新聞記事はニュースとしての価値を失い、タイミングを逃した謝罪は誠意を問われる。古ぼけたスローガンは嘲笑を買い、ありきたりな隠喩は人の心を動かさない。もちろん、ある人にとって一生変わらず価値を持つ言葉や、個人や世代を超えて人類の光となる言葉も存在する。だが世の中には、有効期限が切れ、もはや害を生むだけの言葉のほうが、ずっと多い。

　清らかさを失い使えなくなった言葉、すり減って意味がなくなった言葉、長い間使われず人々に忘れ去られた言葉。真実を隠蔽し歪曲するための言葉、人を惑わしたり潰したりするために使われる言葉。これらを

ひとつ残らずかき集め、土に埋めようと試みても、無駄なだけ。それらは他のどこかで堂々と使われ、やがて見た目を変えて戻ってくるからだ。期限切れの言葉が出回る世の中で、言葉は信頼を失ってしまった。

もちろん、こうなったのは言葉自体の責任ではない。一言の重みを羽のように軽く受け止めて、口から出す前に一度も反芻しない人々。言葉のあいだの沈黙に耐えきれず、ひたすら言葉を吐き出し騒音を生む人々。言葉で世を欺くことができると信じる人々。そしてそのような言葉を鵜呑みにする人々。すべてはこうした人たちの責任だ。

わたしたちが使っている言葉はどのような状態か。

それらの言葉にまだ価値はあるのか、あるいは有効期限がとっくに切れているのに、わたしだけが気づいていないのか。ひんやりとした空気が首筋をさっとかすめる秋の朝だ。

「直角の問題」
21×30cm、紙に鉛筆、2020

直角の問題

　20年ほど前、「わたしたちには直角がない」というエッセイを書いた。本棚を作るために近所の材木店に行ったのだが、そこの大工が木を正確な直角に切ることができず、台無しになったという話だった。正確に言うと、問題は「直角がない」ことではなく、「直角ではないのに直角として認めてしまう」ことだ。直角といえば90度だが、合板を88度や91.5度に切り、「これで十分直角だ」と言い張るのには、とことんあきれた。何度も角度を調整しても、おおざっぱな大工のテーブルソーの刃は、わたしが望む直角を外しまくる。合板は無下に削られ、まるで意地悪なジョークのように、本棚の幅がどんどん狭くなっていった。やむを得ず、角にすき

間があるまま釘を打ち、適当に組み立てた。

　実は本棚にとって、その程度の誤差はたいしたこと
ないかもしれない。しかしわたしには、この些細な事
件に人生の問題すべてが凝縮されているような気がし
た。モノだけでなく、人との関係にも、人々が語る言
葉にも、直角を見つけるのは難しかった。世の中には
直角として認められる、それぞれ異なる無数の「直角」
が存在していた。誤差を受け入れるのが人間としての
美徳だとされ、完全なる直角を求めると、世間知らず
で気難しい宇宙人のようにあつかわれがちだった。そ
のエッセイでわたしは、「デパートが崩壊し、橋が落ち
たのは、わたしたちに直角がないからだ」と書いた。

このエッセイのせいで、周囲の人々に「ドイツ軍将校のようだ」と言われ、「直角を信奉する者が、詩を読み芸術を教えられるのか」という辛辣な皮肉も耳にした。いま思えば、その言葉は正しいかもしれない。失敗と逸脱を許容できない臆病な原則主義者が、世の中の規律と秩序を超えて自由な芸術家であろうとするのは、はじめから不可能だったのだろう。

　大学教授を退任し世間から一歩身を引いたいま、直角について全力で問いかける機会はだいぶ減った。もうこの問題は放っておいたほうがいいのではないか。時々そんなふうに思う。残念なことに、依然として直角はわたしたちの社会に存在せず、存在したとしても

ごく稀で、それにばかりこだわって人生を送るわけにはいかないからだ。

III　芸術家たちに恩恵を

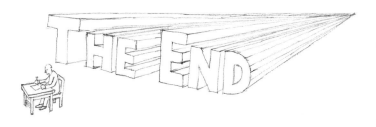

2014 AHN

「終わりの始まり」
20×30cm、紙に鉛筆、2014

芸術家が消える方法

スポーツ選手や映画俳優、政治家は引退を宣言する。自分は役目を終え、後輩たちに機会を与えるために去るのだという。引き際を知るのは、重要な美徳だ。もちろん、引退を宣言できる人はましなほうだ。ほとんどの人々は、宣言せずとも自然に身を引くことになるからだ。

ところが、美術家には引退という概念がない。作家として全盛期を迎えていたときに突然創作活動から撤退し、チェスに没頭したマルセル・デュシャンは稀有なケースだ。美術家たちは、最後まで筆を手放さないのが自らの使命と考える。キャンバスに絵を描けなくなった晩年のアンリ・マティスが病床ではさみを使っ

て作った切り絵は、不屈の芸術魂の模範的な例として記憶されている。夭折することなく長命を得た美術家たちは、業界のレジェンドとして最期を迎える道を選ぶ。まるでルイーズ・ブルジョワのように、100歳近くまで生き延びて仲間全員とライバルが衰退し消滅するのを見届け、最後に自分だけが輝くことを望んでいる。

　美術家が引退しないことを責める理由はない。皆きっと、それなりにすべきことが残っているからだ。しかしわたしは、映画が終わってエンディングクレジットが流れているのに、地平線の向こうに退場しようとしない俳優にはなりたくない。誰かが消し忘れた夜明けの街灯のようにぼんやりとした姿で美術界をうろつく

のはごめんだ。自分は何ゆえに引退せずにいるのか。
これからは、日々冷静に考えなければならない。

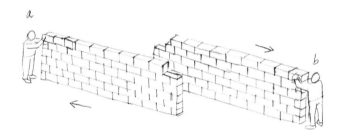

「ふたつの壁」
28×39cm、紙に鉛筆、2014

ふたつの壁

　ポール・オースターの小説『偶然の音楽』には、ギャンブルで借金を背負い、1万個の石を積んで600メートルの長さの壁を作る肉体労働をする羽目になる主人公が登場する。ストーリーはほとんど忘れてしまったが、草原に横たわる超現実的な壁のイメージは心に鮮明に焼き付いている。壁のスケッチを描いたのは、おそらくその記憶が残っていたからだろう。

　セメントレンガでできたふたつの壁が並んで立っている。それぞれの両端には壁を作るふたりの人、aとbがいる。aとbは、相手の壁からレンガを取り、自分の壁に積み上げる。片方の端で新しい壁が作られるあいだ、もう片方の端では積んであった壁が消えていく。

　　　　　　　　　　　　Ⅲ　芸術家たちに恩恵を

だが、ふたりは気にもかけず、まるでゲームのように
それぞれの仕事を続ける。どちらかがあきらめない限
り、ふたつの壁の長さは伸びも縮みもせず、ふたりの
作業は虚しい空回りとなる。互いを鏡に映すかのよう
に繰り返される愚直な労役の唯一の結果といえば、も
ともと向かい合って並んでいたふたつの壁が、だんだ
んそれぞれの方向に移動し、互いに少しずつ離れてい
くことだけだ。目的のない過程だけが残り、ふたりの
時間が流れていく。それは、世界でもっとも遅く「動
く彫刻」といえるだろう。

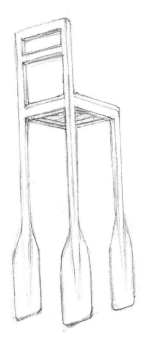

2016
AHN

「椅子とオール」
20×20cm、紙に鉛筆、2016

マグカップ

　マグカップに入ったコーヒーの温もりが、カップを包む手に伝わってくる。カップが、わたしにコーヒーの熱の一部を感じさせるのだ。いわば、仲立ちのようなもの。コーヒーとわたしの手の皮膚のあいだをつなぐのが、マグカップの仕事だ。

　一方、魔法瓶は内部の温度を外に伝えない。ふたを開けてみるまでは、中に何が入っているのかさえわからない。内部の秘密を絶対漏らさないポーカーフェイスと寡黙なところ、それが絶縁体である魔法瓶の美徳だ。世を渡るうえでは、たいがいこちらのほうが有利である。他人に本音を打ち明け、感情をさらけだすのは愚かだと、わたしたちは学ぶ。そして本音を内に秘

める人々、よほどのことがない限り口を開かない、深い沈黙で武装した人間たちが作られる。家の窓はより小さく、壁はより高く。仮面をつけずに人に会うのは、浅はかなこと。何であれ、わたしたちの社会的関係を支配するゲームに勝つのは、他人の知らない切り札をたくさん持っている人たちだ。

　こんな世の中で芸術をするのは、無謀である。心やましく取るに足らないありのままの自分をぶつけ、負け戦に挑むからだ。他人に自己の内面の温度を伝えること、知らない人に温かい手を差し伸べること、そのために絶縁体ではなく、伝導体たらんとする特別な器を作ること。それが芸術家の仕事だ。

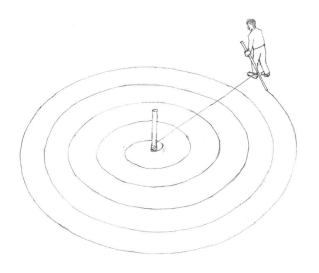

「完成しない円」
20×30cm、紙に鉛筆、2017

完成しない円

　幾何学によると、円は平面上において、ある点からの距離が等しい点の集合でできる図形だ。コンパスを使わずに円を描くためには、可視化されない中心点を決めて、始点から終点まで一定の角度を保ちつつ曲線を引かねばならない。このようにして始点に再び出合うまで曲線を描けば、円が完成する。途中で角度を間違えると、ゆがんだ円になってしまう。

　しかし、一定の曲率を維持しながら曲線を引いても、線の先端が始点に到達できないこともある。その曲線を、螺線と呼ぶ。螺線は円になるはずだったのに失敗した曲線、または円になるのを拒否した曲線だ。曲率が小さいと、内側に吸い込まれて円の中心に向かう「内

向的な」螺線となり、曲率が大きいと外側に広がる「外向的な」螺線になる。始点と終点が出合う瞬間に完成する円は、完結を追求する人生を暗示しているが、芸術家の生き方により近いのは円ではなく螺線だろう。螺線の軌道に乗る人は、二度と始点に戻れない。冥王星を通りすぎて太陽系の外に飛んでいった宇宙探査機のように、はるか遠くに向かって進むのが芸術家の使命だ。年を重ねながら、自分の芸術家としての軌跡に「完成した」円を見いだそうという欲を捨て、自分が残した小さな痕跡の数々が最後まで完成した円にならない螺線のように、果てなき彼方に向かっていくことを願うばかりだ。

「シジュウカラ」
20×30cm、紙にペン、2017

シジュウカラの翼

　裏庭に茂るケヤキの古木のおかげで、これまで気に留めなかった森の鳥を見るようになった。朝、高い木の枝にそっと止まり、しばし息を整える数羽のカラス。真昼の日差しが揺らぐ庭を、わが家のように飛びまわるヤマバト。藪(やぶ)の奥の枯れ葉のなかで、餌を探してごそごそと音を立てるスズメやシジュウカラ。他にも、名前はわからないが鳴き声を覚えた鳥たちがいる。それらはこの家の主であるわたしにはまったく関心を示さない。だが、わたしはそれらがどんな暮らしをしているのか、いつも気になっている。

　鳥たちは、空中を舞う姿もそれぞれだ。シジュウカラのように小さな鳥は、木の枝から枝へ移るだけ。

小さな翼は短距離をすばやく移動することに全力を注ぎ、ワシやタカのごとく悠々とした滑空を夢見るには及ばない。シジュウカラは、この空間の主は自分ではなく、主を自認する大きな鳥や野生の獣たちの目を避けて、めいっぱい速く移動しなければならないと、心得ているはずだ。だから、それらがすばやく飛ぶのは、一種の逃走、すなわち次の隠れ場に移るための冒険といえる。

　わたしがこの本のためにどうにか書いている文章も、おそらく小さな鳥たちの羽ばたきのようなものだろう。1ページにも満たないわずか数行の凡庸たる文をかろうじて締めくくるとき、わたしは他人の庭を無断で横切

るシジュウカラの焦りを、理解できるような気がする
のだ。

「風の木」
15×15cm、紙に鉛筆、2015

耳鳴り

　ノートに1行も書けないまま数日経つと、「これで終わってしまうのかもしれない」という考えと「これで終わるわけにはいかない」という思いが交錯し、心がざわざわする。わたしにも筆を折るときがいつか必ず訪れ、それは言うまでもなく、このように心のざわめきが高まる日々とともに始まるのだろう。

　ある詩人が「君を見るために目を閉じねばならぬのか」〈陳恩英「詩」の一節〉と書いたように、何か輝くものをひとつ得るためには、昼の喧噪と無秩序、飛び交う罵声を、夜の静寂と闇で洗い流す時間が必要だ。かくしてまだ薄暗い明け方に目を覚まし、ひとつの単語、1行の文章が地平線の向こうに浮かびあがるのをひた

すら待つのだ。それでも何も思いつかない日もある。もしかすると、ひっそりと近づいてきた何かが、まるで消えてしまった昨夜の夢のように、指のすき間からこぼれ落ちていったのか。夢など見ぬほど深い眠りについても消えない昨日の騒音が、耳鳴りのように頭の奥に居座り、夜明けに遠くから聞こえてくる何者かの痛切な叫びをさえぎっているのか。さもなければ、今日は新しいことは何も訪れないということ、すなわち不在と待ちぼうけこそが、わたしが迎える最初の客であるということを、素直に認めなければならないだろう。

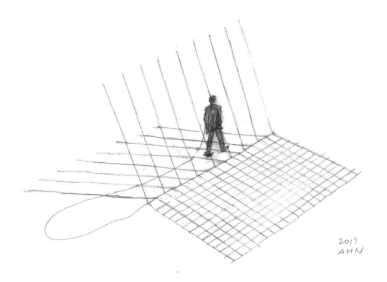

「タテ糸とヨコ糸」
21×30cm、紙に鉛筆、2017

タテ糸とヨコ糸

　タテ糸とヨコ糸が交わり、布になる。1本のタテ糸に
すべてのヨコ糸が織り込まれ、1本のヨコ糸にすべての
タテ糸が織り込まれる。糸は互いに絡んだり、絡まれた
り。そうした繰り返しの集積が、全体を成す。ただの直
線だった一次元の糸が、面積をもつ二次元の布になる。
漁師の網、船の帆、画家のキャンバス、そして革命の
旗も、すべてこうして作られる。ハンカチ1枚でさえ、
なかなか偉大なものなのだ。タテ糸とヨコ糸が互いに自
分のすべてを任せ、また相手を離さないのには、きっと
何か切実な思いがあるのだろう。

　わたしが話す言葉とその言葉のあいだの沈黙が、ひ
とつの文章を作る。わたしの言葉と行動がタテ糸とヨ

コ糸になり、わたしを織りなす。過ごした時間と存在した空間や、選んだ道と選ばなかった条件が複雑に絡み合い、運命という布を織る。織り目が飛んだ部分は取り返しがつかない欠陥として残したまま、わたしは前に進みつづける。この過程、すべての結果が模様になるが、それがどんなものになるか、わたしには知り得ない。いつ終わるかわからない、しかし、いつかは必ず終わる糸の塊を手に、結局未完のまま終わるであろう作業を、ずっと続けている。

나는	너를	항상	생각한다
너는	당신을	영원히	기다린다
당신은	그를	이미	용서한다
그는	그녀를	가끔	본다
그녀는	그들을	한때	미워한다
그들은	우리를	아직도	믿는다
우리는	당신들을	이제	버린다
당신들은	나를	언제나	모른다

글쓰는 기계 2018, AHN

「文章を書く機械」
20×30cm、紙に鉛筆、2018

スケッチブックに書く文章

　過去のスケッチブックを広げてみる。スケッチブックとはいえ、最近はだんだん絵が減って、文章が増えている。美術家にとって、自分語りが長くなるのは良いことではないと思うが、このままでは絵は文章に浸食され、完全に消えてしまうかもしれない。

　ぎっしりと文章で埋めつくされたページは、鉛筆で力強く書いたせいで、活版印刷した本のように表面がデコボコしている。紙の上に単に黒鉛の粉を乗せたというより、まるで溝を掘ったようだ。石や木の表面を削って文字を刻んだ、古代からの伝統に従っているというべきか。　画仙紙に染み込んだ墨のように、この陰刻は消えない。消しゴムを使っても、別の文字を上書

きしても跡が残る。文字の下に刻まれている深いくぼみを仔細に眺めると、その文章を書いたときの思考の軌跡をたどることができる。最初にきらりと思い浮かんだ言葉、ためらいながら最後まで発することができなかった言葉、一度口に出して取り消した言葉が、依然としてそこに残っている。単語ひとつ別の言葉を選んでいたら、いまとは違う文章になっていたかもしれない。このように文を書くあいだ、わたしの向こう側には捨てた言葉の数々が積もっていく。

　文章を書こうが絵を描こうが、わたしはスケッチブックと鉛筆を使いつづけるだろう。鉛筆の先から伝わるケント紙の触感とカサカサした音が好きだ。そこで許

される自由、その上でカタツムリのようにゆっくり動き、立ち止まり、いつでもやり直すことができる自由を愛する。書き損じのできない公的書類に、消せないボールペンで向き合う緊張感からは想像すらできない自由が、そこにある。

2020 AHN

「鉛筆と消しゴム」
21×30cm、紙に鉛筆、2020

鉛筆と消しゴム

　鉛筆が記録と記憶の道具であるとすれば、消しゴムは削除と忘却の道具だ。鉛筆が事物の名を記し、記憶をよみがえらせ、概念を定めるものであるのに対し、消しゴムはそれらを疑い、問いかけ、否定する。鉛筆の先からひとつの名前が呼ばれ、ひとつの物語が生まれ、ひとつの世界が生まれるとすれば、消しゴムはそれらを跡形もなく消し去る力を持つ。消しゴムは自分の身をすり減らして、鉛筆が作った秩序を無秩序な塵の世界に連れ去る。鉛筆が描いた輪郭線はバラバラになり、わたしたちは原点に戻ってやり直さなければならない。それにもかかわらず、鉛筆と消しゴムはライバルではない。左手と右手が異なるふたつの方向から

世界をつかむように、鉛筆と消しゴムは互いに協力しながら輪郭を描き出す。

こうして鉛筆と消しゴムによって生まれた作品の数々は、世界に痕跡を残し、他人の生活に影響を及ぼす。鉛筆と消しゴムが悩み、考えたことが「記録」になった瞬間、それはもはや消せない現実となる。それは時に、誰かの人生を決定づけ、真実を隠す欺瞞と暴力の道具になり、自分に向けられた刃になる。わたしが書いたひとつの文章、紙の上に何気なく引いたひとつの線は、わたしを拘束し破壊する可能性を秘めている。消しゴムがついた鉛筆は、文字を書き絵を描く者にこのような運命を無言で警告しているのだ。

AHN

「失敗しない方法」
27×19.5cm、紙に鉛筆、2014

失敗しない方法

　人生で数えきれない失敗を繰り返し、その人は、失敗によって失望し傷つくことを避ける方法はないか、じっくり考えるようになった。失敗しないためには、何も試さないのがひとつの策であると思われた。すべての失敗の背景には、何かを成し遂げようとする目標とそれを実現しようとする努力がある。だったら、最初から目標を持たなければ失敗することもないだろう。そうすることで、しがない計画を妨害し失敗に終わらせた偏屈な運命に対して、満足できるレベルではなくとも小さな復讐ができると思った。

　しかしその人は、それこそが運命が自分に望んでいる生き方だと気づいた。運命はその人に、たび重なる

失敗を通じてあきらめる方法を論そうとしたが、その人はまさに、運命が望んだことを自ら実践するにいたったのだ。その人は、この二重の敗北を到底受け入れることができなかった。

　ついにその人は、失敗そのものを目標にする方法を編み出した。成功ではなく、失敗を目指せば失敗を恐れる理由もなく、失敗によって挫折する必要もないだろう。絶望と自暴の果てに落ちた奈落の底でひらめきを得たその人は、会心の笑みを浮かべた。これは、生涯自分を苦しめてきた運命に初めてまともな一撃を加える、一生一代の事件だ。もし計画通りに失敗すれば、その失敗はその人にとって最初の成功になるだろう。

逆にまた失敗したとしても、二重の失敗を通じて自らの運命に挑むことになる。運命は、自ら失敗を招いて運命に立ち向かう人間がいるとは、おそらく夢にも思わなかったであろう。

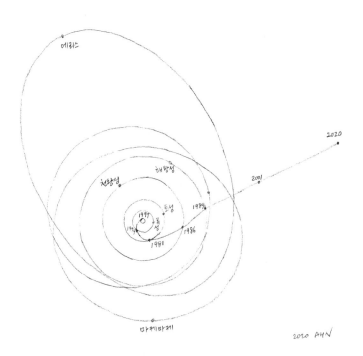

에리스

2020

2001

해왕성

천왕성

토성

1997

1989

1994

1986

목성

화성

1981

마카마키

2020 AHN

「ボイジャー2号」
21×30cm、紙に鉛筆、2020

ボイジャー2号

　ボイジャー2号が太陽圏を脱出して1年半が過ぎた。原子力電池はほぼ使用済みで、しばらくして交信が途絶えると、永遠に宇宙をさまよう迷子になるという。1977年の夏、この探査機が地球を離れた頃、わたしも学校を卒業して見知らぬ世界へと旅立った。はるか昔のようだが、実際はそうでもない。光のスピードであれば16時間で到着する距離を約40年に引き延ばしたスローモーション画面の中で、ホコリのようにちっぽけな人生の重さにどうにか耐えてきただけだ。

　ボイジャー2号が、人類未踏の遠い宇宙の写真を送りつつ、毅然とした態度で太陽系に別れを告げるなか、わたしは何をしていたのか。芸術という名のもとで、

慣習と常識の境界を越えてはるか遠くに行きたいという夢は、どこかに痕跡が残っているだろうか。ささいな失敗と小さな成功に焦り、成し遂げるよりも失うことが多い小市民として生きるあいだ、自分は何をしてきたのか。世の中を変えることも、厳しい世に希望をかけることもできず、ひたすら子どもたちを育てながら、家族という小さな船を漕いできただけだ。

　とはいえ、確かにわたしも旅をしていた。すべての日々が新しく、それらがわたしに何をもたらすのか、何を持ち去るのか、知る由もない。世界は漆黒のごとく暗く、星が輝く場所はあまりにも遠かった。両親は「星のようにあれ」と、名前に文章をつかさどる星座を

表す漢字「奎」〈二十八宿のひとつ。西方の第1宿。アンドロメダ座から魚座にまたがる16星をさす〉を入れたが、塵のように生きるわたしは、いつか輝く星になれるのだろうか。空を仰げば、忸怩たる思いがこみ上げる。星になれずとも、残りの燃料が切れるまでボイジャー2号のように生きることができるだろうか。悔恨や憐憫、悲しみや怒りといった感情を抱かず、最後までひたむきに進めるだろうか。探査機の軌道に沿って世の中からはるか遠くに向かうわたしのうしろ姿を描きながら、地球の夜明けを迎える。

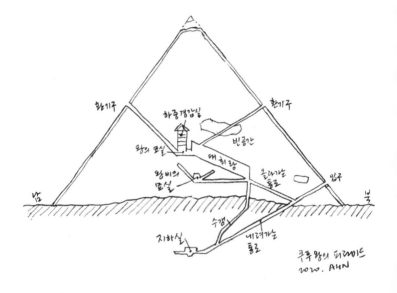

「クフ王のピラミッド」
21×30cm、紙と鉛筆、2020

ピラミッド

　エジプトにあるクフ王のピラミッドは、古代世界の七不思議のなかで唯一、現存する建造物だ。バビロンの空中庭園も、オリンピアのゼウス像も、アレクサンドリアの大灯台も逸話が残っているのみで、地震と戦乱によって跡形もなくなった。廃墟となり消えてしまった数多くの神殿や彫像とは異なり、ピラミッドが4000年以上原型をほぼ維持できた秘訣は、その特別な形にある。ピラミッドの幾何学的形状は、過不足なく完璧だ。崩れないことだけが目標であるかのように、バランスを保っている。

　ピラミッドの設計者たちは重力にあらがうのではなく、重力を説得する方法を選んだ。望む高さの場所に

最後の石をひとつ載せるために数万個の石をきっちり
と積み上げ、倒れる石は最初から横にして、傾く石は
最初から斜めに置いた。精巧に削られた巨大な石灰岩
のブロックをひとつずつ積み上げる重労働を粘り強く
数十年も繰り返し、ナイル川沿いの砂丘の上に、風
化に耐えうる永遠の存在を目指す歴史的なプラット
フォームを遺した。

　一日中コロナウイルスの速報を聴き、全世界がひと
つの網の上でなす術もなく揺さぶられ、崩れゆく姿を
見ながら、ふとピラミッドを建てた人たちに思いをは
せる。西洋美術史の本の最初のページに載っていた沈
黙の遺跡を心に浮かべ、ピラミッドのように堅固で、

長い時のなかで揺らぐことなく居場所を守っているか、
自問する。

「100年の家」
19×23cm、紙に墨、2019

　韓国が通貨危機に直面し、IMF〈国際通貨基金〉の管理体制にあった時期、驚いたことに大工は仕事が増えたという。一夜にして職を失った人々が我先にと食堂やビアホールを開業し、その多くがほどなく潰れたせいで、店内を改装する依頼が相次いだからだ。わずか数ヵ月で看板を下ろし、新しくオープンする店に合わせて内装やインテリアを変えることになったため、大工と塗装工と看板業者は大忙しだった。

　店であれ家であれ、「期待寿命」というものがある。だがそれは、すさまじく短い。10年、20年続く店はわずかだし、100年間持ちこたえる家屋は想像もできない。終身雇用という言葉が消えて久しく、「変わらなければ

死ぬ」という言葉が時代の精神になった世の中で、差し迫る失業と破産、災難と破局の予感に追いつめられ、周囲の人と張り合いながら、わたしたちは「100歳時代」の長い人生を生きる準備もないまま、道端に放り出されている。

「コンテンポラリー」を掲げる美術も例外ではない。新しさをアピールするが、結局は現在から一歩も外に踏み出せないイベント、100年どころか10年も経たずに消えるアイディアが美術を蝕んでいる。「永遠」や「不滅」を誰も口にしないいま、わたしたちに必要なのはわずかひとときを飾るインテリアではなく、100年間持ちこたえる家を建てる大工である。

「大聖堂のボチェッリ」
21×30cm、紙に鉛筆、2020

芸術家たちに恩恵を

インターネットでドイツのFMラジオを流していたら、教会の日曜礼拝の様子をライブでオンエアする番組があった。キリスト教信者ではないが、大災害が全世界を襲うなか人々が何を語るのか気になり、耳を傾けた。

遠い子ども時代を思い出す教会の鐘の音とともに、聖職者2人とオルガン奏者、聖歌隊数人だけが参加するオンライン礼拝が始まった。がらんとした礼拝堂のひんやりとした空気のなかで、苦しんでいる人々に愛と救いの手を差し伸べるように求める説教と、賛美歌が響きわたった。重い沈黙、息の音、震える声。それだけで礼拝堂の光景が瞼に浮かぶ。高齢者と弱者が犠牲

になることを経済が正当化する、非情な政治に反対する、厳粛かつ情熱的な説教。そして、「命を失った人々と家族」、「患者をケアする医療従事者と治療薬を開発する科学者」、「社会的に孤立してしまった人たち」と呼びかけ、その人たちのための祈りが続いた。

　意外にも、そのなかには「芸術家たち」も含まれていた。「わたしたちのために新たな道を模索する芸術家たちに、恩恵を与えてください……」と。まったく想像すらしなかった。

　わたしはその祈禱を受ける資格があるのか。果たして誰かにとって新たな道となる芸術を生み出したことがあるだろうか。一度もないとすれば、芸術という名

のもとで、わたしはいったい何をしていたのだろうか。

「1000個の太陽」
20×30cm、紙に鉛筆、2016

すべてでありながら何でもないこと

　スウェーデンの詩人トーマス・トランストロンメルは、「小さな葉」という詩で「わたしたちはすべてを見ながら、何も見ていない（We see all and nothing）」と記した。この一節は、こう書き換えることもできる。わたしたちはすべてを知っていながら何も知らず、すべてを語るが、何も語っていない。すべてのことをするが、何もしていない。やることすべてが、結局、何でもないのかもしれない。これはこの世界に対するわたしたちの経験において、もっとも根本的な問題だ。

　わたしたちの行為の数々は、目標に達することができずに空回りを続ける。意図は外れ、過程は意図を裏切り、待ち望んだ未来は訪れない。たどり着いたと信

じた場所は足元から崩れ落ち、そのたびに振り出しに戻る。苦労して手に入れたと思ったモノは、実は借用品だったり、誤配送で届いた品物だったりして、返さなければならないと気づく。見たと思ったモノは実は見たことがなく、いたと思った場所に実際にいたこともなかった。ここではない別の場所を求めて旅立ったが、行こうとしていたのとは違うどこかに着いた。あるいは、まだどこにもたどり着いていない。そうこうするうちに、わたしたちにとってすべてであったことは、何でもないことになり、何でもなかったことがすべてになって、運命を左右する。

　わたしたちに必要なのは、このような世界の逆説を

問うことだろう。やろうと思ったことはなぜ失敗する
のか。目標に達することができず泡のごとく消えた、
わたしたちの善良な意図と捧げた時間、その周りをぐ
るぐる回っていた甘い言葉は、すべてどこへ行くのか。
とどのつまり、それは「わたしたちがやっていること、
わたしたちが切に願っていることには、果たして意味
があるのか」という問いに行きつくだろう。しかしこ
の質問さえも、すべてのことを問いながら、実は何も
問うていない結果にいたることを忘れてはならない。

Ⅳ 庭のある家

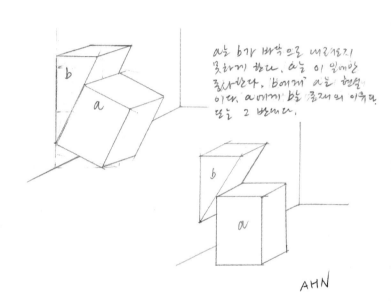

aは b が床に落ちないようにする。aは
この役目にのみ従事する。bにとって
aは現実である。aにとってbは存在
の理由だ。あるいは、その逆である。

「重力というもの」
20.8×14.9cm、紙に鉛筆、2017

重力

　昼と夜が毎日繰り返され、冬と夏が毎年訪れるのは、地球が他のものと関係しながら動きつづけているためだ。地球は太陽の周りを軌道に沿って回りながら自転し、月は地球の周りを回りながら地球が軌道から外れないように助けている。重力、すなわち単なる岩と土の塊の質量にすぎないものが、はるか遠くのものを引き寄せたり遠ざけたりしながら、自らの存在を伝えている。

　この孤独で静粛な力のバランスのなかに、わたしたちはいる。地球と太陽と月が互いに影響を与え合っていなければ、いまのような世の中は存在しなかっただろう。引き合うことなく遠ざけ合うだけだったり、ま

たは引き寄せ合ったりするだけだったりすれば、ある
いは互いに無関心で自分の殻に閉じこもってばかりい
たら、わたしたちの日常は存在しなかっただろう。時
が来れば一斉に咲く花もなく、たえず押し寄せる波も
なく、西の空を染める夕焼けもなかったはずだ。月と
地球と太陽が互いに引き寄せ合いながらも、それぞれ
自分の道を進むおかげで、昨日と同じ今日がある。

　わたしにとって、昨日と同じ今日を作る存在とは何か。
どんな力に導かれて、何の周りを回りながら生きてきた
のだろうか。軌道を維持する力はどこから来たのか。そ
して、わたしは遠くに在る誰かと社会のために、わずか
なりとも何かを与えたことが果たしてあっただろうか。

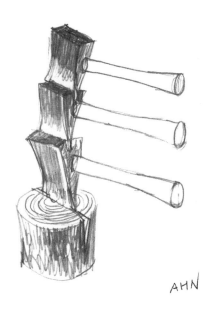

AHN

「因果応報」
20×30cm、紙に鉛筆、2014

木曜日まで

　30年前にもその人は、しばらく音信が途絶えていた
かと思ったら、ひょっこりわたしを訪ねてきた。美術
大学を目指して後輩たちのアトリエに出入りしていた
その人は、美術はあきらめ、小説を書いていると語った。
ある文芸誌の新人賞に応募する準備をしていて、わた
しに作品を読んでアドバイスしてほしいと言う。折り
入っての頼みを断れず、役に立てるかわからないが一
度読んでみると答えた。しかし、原稿を送ると約束し
た期限はたびたび破られた。その人は毎回、まるで借
金を踏み倒しているかのように「申し訳ない」と謝罪
した。自分から頼んだことを守れないために、わたし
に謝っていたのだ。結局、小説は締め切りが過ぎても

完成しなかった。その人の目標は、翌年の文学賞に持ち越されたが、数カ月後にもまったく同じことが繰り返された。そうこうしているうちに、唐突に連絡が途絶えてしまった。

　研究室の電話の受話器から、30年前の記憶にかすかに残る声が聞こえてきた。相変わらず控えめな口調で、自分のことを覚えているか尋ね、わたしに読んでほしい文章があるから木曜日までに宅配便で送ると言う。お互い安否を短く語り合っただけで、電話は切れた。木曜日の午後、少し修正してから送りたいので、あと1週間だけ待ってほしいという電話が来た。1週間があっという間に過ぎ、今日は木曜日だ。今回もその人

は約束を守らない。そんな予感がする。来週あたりに
は「申し訳ない」と電話がかかってきて、今度は1ヵ月
待ってほしいと言うかもしれない。もちろん、わたし
は構わない。30年間待ったのだから、あと1、2ヵ月待
てない理由はない。だがいまとなってはむしろ、わた
しがその人の話を小説に書いたほうがいいかもしれな
い。そんな気がする。

1

2

3

4

AHN

「月の裏側」
24×25cm、紙に鉛筆、2014

微細粉塵（PM2.5）
ミセモンジ

　粉塵の総量が増えつづけているのは、わたしたちが
キラキラでつるつるした表面を望むようになったことと
関係がある。もともと事物の表面は、いまのようにキラ
キラでもつるつるでもなく、粗削りで素朴だった。自己
主張をすることもなく、まわりのモノに混じって風景の
一部になり、そのくせ時には、咲く花の背景を立派に
飾ることもあった。粗削りで素朴であるほど、同じ場所
に長く残る。こうして、事物はそれぞれ親しいモノたち
のそばにずっと留まっていた。小石の表面がつるつる
になるのは、川の底で転がりぶつかり、すっかり角が
とれた結果であり、古いモノがつやつやしているのは、
それが人々に使い込まれているためだった。

ところが、わたしたちはいま、最初からキラキラで
つるつるしたモノを好む。人間工学によって角が丸く
滑らかな表面を持つようにデザインされたモノたちは、
外部からのいかなる介入も許さず、完全なる個性を主
張する。それらは、世の中と縁も摩擦もなく、ただ世
界を全速力でかけ抜けるためだけに生まれているよう
に見える。こうしたキラキラでつるつるのモノを短期
間で作るべく、すべての工場は昼夜を問わず事物の表
面を必死で磨く。その間にとんでもない量の粉塵が生
産される。こうしてわたしたちは、モノを生産するた
めに粉塵を出しているのか、粉塵を生産するためにモ
ノを作っているのか、わからない状態になった。現在、

時と場所を選ばず出没している「微細粉塵（PM2.5）」の正体は、結局、事物の表面から生まれて、あてもなく世をさまよう「事物の幽霊」なのだろう。

　わたしたちはキラキラでもつるつるでもないモノを受け入れ、粗削りで素朴なモノを、手間と時間をかけて徐々に輝かせ、滑らかにする方法を学ばなければならない。それが不可能であれば、わたしたちは事物の世界から追い出された粉塵による復讐を甘受せざるを得ないのだ。

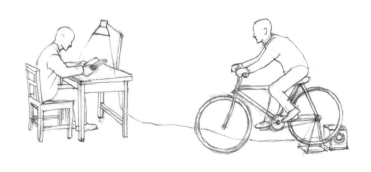

2015. AHN

「分業」
20×30cm、紙に鉛筆、2014

わたしたちが学ばなかったこと

　学校で子どもたちが最初に学ばなければならないのは、読み書きや計算ではない。学ぶべきは、自分を落ち着かせる方法だ。勝手に動き回ったり騒いだりしないこと。先生のほうをちゃんと見て、話を聴くことが大切だ。同じように、軍隊で軍人が初めに学ばなければならないのは、銃を撃ったり障害物を乗り越えたりする方法ではない。学ぶべきは、動かない術である。直立不動で岩のように沈黙し、命令が下されるのを待つ。つまり、新しいことを学ぼうとする人は、まず自分を律する方法を習得するべきなのだ。

　運転をする人は、エンジンをかけてアクセルを踏む方法より先に車の止め方を学ぶべきだ。ダイビングを

する人は、水に飛び込む姿勢より先に、水中から脱出する方法を学ぶべきだ。絵を描く人は、自らの絵がどのような状態になったら絵筆を持つ手を止めるのか、学ぶべきだ。そうでなければ、事故が起きたり、絵が台無しになってしまったりするからだ。

　何かをするためには、まずそれがどのように終わりを迎えるのか、始まりの反対側でわたしたちを待ち受けているものは何なのかを知らねばならない。前に進むためには止まることを、話すためには沈黙することを、記憶するためには忘れることを、愛するためには寂しさに耐えることを。

　問題は、わたしたちは前進する術のみを学び、止め

る方法を学ぶ機会がなかったということだ。何かを実現し所有することのみを学び、それを手放す術は学べなかった。世の中に属する術だけを学び、そこから去る方法は学べなかった。だから、いまは再び立ち止まるべき時間、すなわちわたしたちが学ばなかったことのために、地平線の向こうを見つめなければならない時間だ。

AHN

「植物のモビール」
26×38cm、紙に鉛筆、2015

よい大工

　大工はたいてい几帳面で気難しい。1ミリの誤差も許されない職業柄、そのような性格になるのだ。一度ノコギリで切った木は元に戻せず、正確な直角がとれていない木材で椅子や机を作れば、ガタガタする。そのうえ、大工があつかう木工機械は、一瞬でも油断すれば、指1本ぐらいは簡単に飛ばしてしまう凶器だ。よって、こうした失敗を避けるために神経がピリピリしているのは当然のこと。刃物や定規を使って生計を立てる者には、中途半端な妥協はあり得ない。大工は世のモノを、ノコギリとカンナが定める境界線できっちり二分する。片方は世の中に残すべき有用な家具となり、もう片方は世の外に捨てるべき無用な切れ端やおがくず、塵と

なる。

　わたしは美術学校の木工室で、熟練のドイツ人マイスターから木のあつかい方と彫刻を学んだ。よい大工にはなれなかったが、その人たちの頑固なこだわりはよくわかる。世の中に残すべきか、捨てるべきか。長く記憶すべきか、早く忘れるべきか。モノの境界を決める者の孤独と苦悩を理解することはできる。ただ、わたしの視線は、捨てられて消えるモノの方に向くことが多い。そこが違うだけだ。

「沈黙の部屋」
30×40cm、紙に鉛筆、2015

庭のある家

　引っ越しをしてから、家の修理や手入れにまるまる1カ月半を費やした。1カ所を仕上げると、必ず別のところが目につき、それらを終えるまでまったく他のことができなくなった。毎朝文章を書くことも、週末に書店に出かけることも、しばらく楽しんでいた運動も、すべていったんおあずけだ。剝げた手すりにペンキを塗ったり、壊れたドアノブを直したり、数年間放置され、枯れ木や雑草で荒れた庭を手入れしたりするだけで、日が暮れる。そして、日没とともに眠りに落ちた。庭のある家を持つという贅沢は、たやすいことではなかった。この作業はさほど長くかからず終わるはず。そんな希望が唯一の癒やしだった。もう少しすれば、再び

静かに本を読み、規則正しく創作活動と運動をする、以前の生活に戻ることができるのだ、と。

　しかし、時間が経つにつれ、それは無理かもしれないと不安に駆られた。長いあいだ、家主に愛されなかったこの家は、気難しいフィアンセのように、新しいパートナーに次々と要求を突きつける。梅雨が来る前に雨どいに詰まった落ち葉をかき出さねばならず、色あせた門も塗りなおさなければならない。アリたちがまるでわが家のように出入りするひびの入った壁のすき間を埋め、素っ気ないセメントの外壁にはアイビーを植えねばならないだろう。

　これらのために、自分のための時間はどんどん奪わ

れていく。ついには、わたしの生活そのものが変わるかもしれない。家とは、単なる物理的な空間ではなく、そこに住む人の生活に干渉する人格を持った存在なのだ。十数年ぶりに庭のある家に移り住むことを決めたとき、この点をもう一度考えるべきだった。

AHN

「アトリエの画家」
20×35cm、紙に鉛筆、2015

アトリエ

　数十年間、立派なアトリエを持ちたいと願いつづけた画家がいた。その人は、小さくても、ひとりで創作に没頭できる部屋がひとつあれば、より優れた芸術家になれると思っていた。だが、その人にはそんな余裕はなかった。若いころは金に乏しく、歳を取ってからは時間が足りなくなった。創作活動はどんな場所でも続けることができた。それにもかかわらず、評論家やキュレーターとカフェなどに出向いて会うたびに、アトリエを持てない自分がどう思われているのか、気になって仕方なかった。

　その人がついにアトリエを持つことになった。これからは、自由に創作活動ができ、いろいろな人に会え

るはずだった。ところがアトリエが完成した後、問題が起きた。創作活動が以前のように進まない。アトリエを作り、画材を準備するためにしばらく休む暇もなかったが、どういうわけか、ぱったり絵が描けなくなってしまったのだ。夢に見たアトリエで、真っ白なキャンバスを前にぼんやりしている時間が長くなったその人は、画家をやめてしまった。

　結局、ずっと熱望していたのはアトリエを持つことであって、創作活動そのものではなかった。だから、これ以上することが何もなくなった。立派なアトリエで優れた画家になるどころか、絵を描かない画家になったのだ。その人はアトリエが自分の芸術の終着点であ

り、最後の作品であると認めざるを得なかった。もし
かしたら、アトリエが人生で最高の作品なのかもしれ
ない。そんな思いに、せめてもの救いを求めるしかな
かった。

AHN 2016

「壁」
20×30cm、紙に鉛筆、2016

人里離れた一軒家で

　ひとつの棟に18世帯が入居し、7棟が並んで建っていた古い低層の集合住宅に10年ほど住んでいたが、山あいの人里離れた一軒家に引っ越した。最初にやらねばならなかったのは、みすぼらしい塀を改修することだった。外から家が丸見えだった金網フェンスを撤去して、レンガを積み上げ、それでも心細いので、警備保障会社のホームセキュリティに加入した。どの家もやかましく吠える犬を飼っているので、わが家もそうすべきかしばし悩んだ末、自動録画機能付きで24時間監視可能な防犯カメラを設置することにした。おかげで、真夜中にうっかり窓を開け、けたたましい警報音が鳴り響いて仰天したり、管轄区域のパトカー

が飛んできたりすることも、何度かあった。

　これらはすべて、集合住宅に住んでいたときには必要なかった。隣人がわが家の塀であり防犯カメラであり、番犬だったのだ。集合住宅でわたしたちは、アフリカの草原に住むインパラのように、似たような生活を営む隣人たちと平和な群れを成し、いつでも群れの中に身を隠すことができた。代わりに、薄い壁を突き破って入りこむ隣家のさまざまな騒音や食べ物の匂いを、何食わぬ顔で甘受していればよかった。隣人たちもわたしと同じように暮らしているということ。それは、わたしたちの生き方を正当化する根拠でもあった。

　群れから離れ、荒野のようなこの地に移り住み1年が

経った。自分と外の世界とのあいだに壁を築きながら、わたしは自分が手がけてきた美術もかなり前からひとりぼっちで孤独なものだったと、あらためて気づいた。周りにいる誰もがわたしの創作活動の根拠になりえないということ。すべての理由は自分にあり、すべての責任は必ず自分に帰するということ。誰も見ていない場所で、自分も気づかぬうちに思いがけずその場を象徴する存在になることこそ、芸術家という仕事であるということ。

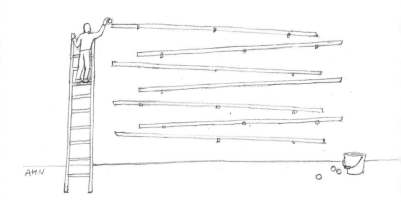

「ゆるやかな時間」
20×30cm、紙に鉛筆、2016/2020

昨日降った雨

　一晩中降っていた雨が明け方にやんだ。眼前にそびえる山の裾は、まだ低い雲に覆われ、闇のなかで雨に濡れてうずくまり震えていたはずの鳥たちは、互いの安否を問うようにせわしく鳴いている。遠く離れた渓谷の激流の音がここまで響く。昨日の雨は、これから何日も谷間を流れていくのだろう。雨の降る時間があり、雨が過ぎゆく時間がある。岩と砂のあいだに留まる水滴の時間。雨が降り水が消えるまでの時間が、森を作り、草や虫を育み、鳥に餌と命を与える。雨水がすぐに川や海に戻ることなく、世の隅々に染み込み、ゆっくりと循環するあいだに、木や草、野生の動物たちが育つ。雨が降るというひとつの事件と、その事件

が完全に終結を迎え、跡形もなく消えるまでの時間。それがわたしたちの人生だ。来し方に戻るまでに水滴が経る、多くの紆余曲折の時間。思いがけず激流と泥水にもまれる時間。氷のように冷たく暗い地下を流れる時間。誰かの汗と熱い涙になる時間。わたしたちも雨水のように生きていく。

「椅子」
25×28cm、紙に鉛筆、2016

安否

　毎晩、ひとり暮らしの母に安否を尋ねる電話をかける。すぐ近くに住んでいるが、なかなか顔を出せないため、せめて声だけでも聞かせたいと思うのだ。だいたい9時頃、テレビで夜のニュースが流れる時間だ。ニュースを熱心に見ているせいか、90近い年齢のせいか、母は息子に変わりはないかと何度も尋ね、気をつけるべきことをひとつひとつ、リストを読み上げるように語りかける。寒いから気をつけて、外食するときは食中毒に気をつけて、運転に気をつけて。そして何より、人間関係には気をつけて、と。

　母親が年老いた息子に毎日のように伝える「注意事項のリスト」の出どころは、他でもなくテレビのニュー

スだ。ニュースは母に、世の中がいかに危険な場所か
を伝えつづける。完全無欠といわれた人が全国民の前
で恥をかいたり、誰もが思いもよらない事故や災害の
当事者になる可能性があったり。そういうことに自分
の子は気づいていないのではないかと、心配事があれ
これ湧いてくるのだ。あきれることやむごたらしいこ
とで埋めつくされた今日のニュースを見ながら、幸運
にも何事もなく帰宅したことに安堵し、感謝をする夜
9時。

「父よりも老いた息子」
20×30cm、紙にインク、2019

父よりも老いた息子

　64歳の誕生日。明け方に目が覚め、今日は特別な日だという思いがこみ上げた。父が亡くなったときと同じ年齢を迎える日、父よりも年上の息子になる最初の日。

　これからわたしが過ごす一日一日は、64歳で世を去ったあなたは経験できなかった日々だ。悲しむよりも恨む気持ちであなたを送った分別のない息子は、それからの40年間、あなたが生きた年齢に追いつこうと真面目に生きてきた。だが、今日からはあなたを追い抜く日々が始まる。父はわたしにとって永遠に父親だが、あなたよりも年を重ねたこの日に、父がいない息子としての人生が始まったはるか昔のあの日を思い出す。これからは、いままでとはまた違う時間になる

だろう。今日からは、すべての日々が昨日とは異なる日になるだろう。 自分より若い父を追い越して、未知なる時間のなかへと歩む息子の時間が始まった。長いあいだ呼ぶことのなかったその名を、誕生日の朝に小さくつぶやく。

「昔の写真」
30×20cm、紙に鉛筆、2017

昔の写真

　89歳の誕生日を迎えた母が、孫たちの前で古びた白黒写真を取り出した。　1930年代初めに、家族全員で写真館で撮った記念写真。ずっと昔、母のアルバムに収められていた写真だ。若き日の母方の祖父母。ふたりのあいだにいる、まだ3、4歳の子どもだった母が、わたしたちを見つめている。実際には知らないはずの幼い頃の母の顔に、なぜかとても親しみを感じた。物思いにふける子どもの目と表情の奥に、子どもであるわたしたちきょうだいや、孫であるわたしの子どもたちと似た面影を感じるからかもしれない。

　チマチョゴリ姿で父親に抱かれた子どもの隣にいるのは、目元のきりっとした5、6歳ぐらいの男の子だ。

いたずらっ子だったふたりのおじが、丸刈りにトゥル
マギ〈伝統衣装の一種で、外套のこと〉という出で立ちで、
緊張した面持ちで立っている。濃いグレーの重々しい
背景に、人物の顔とチョゴリの衿が白く光って見えた。

　写真に写る人たちは、母を除いて皆、ずいぶん前に
この世を去った。おじたちは若くして亡くなった。幼
い頃、母の実家にあいさつに行くと、ふたりの息子に
先立たれた家には、重い沈黙が漂っていた。母は、家
族の歴史を記憶する唯一の証人だ。

　この写真は母が何者であるかを確認するただひとつ
の記録である。長くて厳しい旅の出発点で、子は自ら
を待ち受ける運命をつゆ知らず、カメラの向こうにい

る見知らぬわたしたちを見つめている。

2017 AHN

「移住」
20×30cm、紙に鉛筆、2017

留まらない
それぞれ

　留まることを望むなら、ずっしりと構えるか、重々しいものに身を寄せるべきだ。たとえば、地中に深く根を下ろす木や、岩のあいだに身を隠す野獣のように。それでも留まることができなければ、季節の変化とともに旅立ち、同じ場所に戻ってもいい。たとえば、秋に散り春に青々と茂る木の葉や、海に泳ぎ出て時が満ちると川を遡上する鮭のように。あるいは、群れに入るのもいいだろう。アリやハチのごとく、軍人や修道僧のごとく、集団の一員になる。全体のなかで規律に従い「自分」をあきらめねばならないが、これも「重々しいものに身を寄せる」ひとつの方法だ。やりかたはどうであれ、人間であれ、魚であれ、足に蹴られる石

ころであれ、わたしたちの周りの多くのそれぞれは、いまいる場所に留まることを望み、離れてもいつかまた戻りたいと願う。

　そのようなわたしたちにとって最大の脅威は、留まらないモノたちだ。微細粉塵（PM2.5）や温室効果ガスのように小さく軽く、どこにも属さないモノ。この孤独に流浪するモノの存在自体が、わたしたちを脅かす。それらを制御するのは不可能だ。去れと言っても去らず、ひとつの場所に留まるように告げても留まらない。元の場所から追い出したのは、わたしたちであり、それらが人間に降りかかる災いの原因であることは、広く知られた事実だ。

数年前に他界したジョン・バージャー〈イギリスの美術評論家、脚本家、小説家、ドキュメンタリー作家〉は、宇宙の星の半分以上はいかなる星雲にも属さない孤独な星だと言った。いまのわたしたちの世の中は、星の世界によく似ている。

「献花」
21×30cm、紙に鉛筆、2020

何も起こらなかったとき

　真夜中に済州島（チェジュド）行きのフェリーから、漆黒の海に飛び込んだその人は、船に乗る前、家族と数人の知人に電子メールで別れを告げた。ごめん、ありがとう、短いあいさつ、いくつかの頼みごと……。数時間後の自分には何の意味もなくなる世の中に向け、残される人のためにメッセージを送った。重要なのは、このメールが、翌日に受信者に届くように「送信予約機能」を使って送られたことだ。世の中に別れを告げることにした自らの決定を何人（なにびと）からも妨害されないために、すべてが終わった後、すなわち自分の行為がもはや取り返しがつかないかたちで完結する翌朝に、届くようにしたのだ。すでにこの世にいない人からのメール。

その人が電子メールを書いた瞬間から、家族と知人がおぞましい別れのあいさつを読む瞬間まで、文章はどこにあったのか。記号の組み合わせとして、あるいは点滅する無数の小さな光として、インターネットのサーバーのどこかに存在していたのだろうか。この空白の時間、残された人々は何も知らずいつもの日々を送っていた。世の中の出来事は、すべてこんなふうだ。何かが起きたと気づかないあいだは、何も起きない。しかし無念なことに、事はいつも、何も知らないあいだに起きる。何度同じ経験をしても決して慣れることがない、不幸というものの道理である。

2018. AHN

「対話」
21×30cm、紙に鉛筆、2018

父は一緒に住んでいません

　ニューヨークの地下鉄で、十代前半の少年がまばらに座る乗客たちの膝に手書きのメモを置く。「弟がふたりいます。母は病気です。父は一緒に住んでいません。助けてください」

　その簡潔な文章は、少年の事情を完璧に表していた。ソウルにもかつて、同じような子どもたちがいた。ソウルの子たちはガムやボールペンを売ろうとしていたが、この子はポケットティッシュを買ってほしいと言う。乗客たちは見向きもしない。人々が冷ややかなのは、どこも同じだ。目も合わせようとしない乗客たちに動じることもなく、少年は慣れた手つきでメモを回収する。思いがけず、わたしのように暇を持てあました旅

行者からいくばくかの小銭をもらったその子は、次の駅で降りる準備を始めた。わたしは、ポケットティッシュの代わりにメモがほしいと言おうとして、やめた。それは少年の商売道具であり、わずかな小銭と引きかえに奪うことはできないからだ。メモは少年が書いたものなのか。内容は真実なのか。それを確かめる術はない。しかし、あの文章を書けるのは、真に追いつめられた人だけだ。果たしてわたしが書いているこの文章は、少年のあのメモのように切実さを伝えられているだろうか。あんなにも簡潔に何かを表現したことがあるだろうか。あの半分だけでも、人の心を動かしたことがあっただろうか。

「草苅り」
21×30cm、紙に鉛筆、2018

メッセージ

　訃報をスマートフォンのメッセージで伝える時代。亡くなった本人名義の電話番号から逝去の知らせが届くのは、もしかすると特に奇妙なことではないのかもしれない。連絡すべき知人の番号がすべてそのスマホに登録されているのだから、心に余裕がない遺族としては、故人のスマホを利用するのが便利で当然だろう。とはいえ、訃報を本人のスマホから受け取るのは、どこか落ち着かない。亡くなった人が何事もなかったかのように自分の死を周りに伝え、遺されたスマホが最後の任務を遂行する。それを心穏やかに受け止められないのは、わたしだけではないはずだ。

　約1週間後、再び同じスマホの番号から、「葬儀にご

参列いただき、ありがとうございました」というメッセージが届いた。もちろん、遺族が送信したものだ。返事をしないわけにはいかず、「故人の冥福をお祈りします」と送った。だが、「亡くなった方のこの遺品も、どうか安らかに眠らせてあげてください」と付け加えるのはやめておいた。

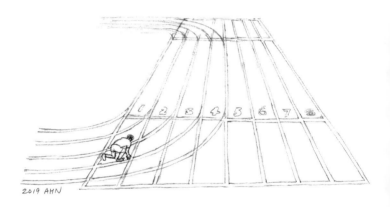

「競走」
21×30cm、紙に鉛筆、2019

時間との競走

　定年退職を1年後に控えて迎える新学期は特別だ。入学式に参列しながら、この新入生たちとは授業で会う機会もなく、卒業も4年後だから自分はもう関係がないという思いがよぎった。卒業論文の審査で学生に厳しい質問を投げかけることも、フィールドワークに同行するのも、今年が最後だ。

　時間との競走に、また負けた。時間はずっと離れた場所から、後手に回ったわたしのほうを振り返り、追いつくのを待っている。急げ、もう遅い、これまで何をしていたんだ、と問いかけながら。がむしゃらに走りつづけているにもかかわらず、いつも時間のほうが先にゴールに到着するのだ。

青春がまだまだ続くと思っていたさなかに、もうその時期は過ぎたと告げ、まだまだ若いと内心思っていると、鏡のなかの自分を一度見てみろと言う。この競走はフェアでない。どんなにベストを尽くしても、わたしが必ず負けるのだ。

　そうだとしても、いま再び新たなスタートを切らねばならない。これまで数えきれないほどの敗北を重ねたが、引退はしない。わたしはこの競走をあきらめない。苦杯を喫した経験を胸に刻み、次は必ず勝つつもりだ。

「森の家」
21×30cm、紙に鉛筆、2020

家

　この家に引っ越してから5年が経つにもかかわらず、まだ修理や手入れをすべき箇所が多く、きりがない。できるだけ職人の手を借りずに、自分で木材を組み立て、壁にペンキを塗る。今年だけでも、庭に出る戸口を広げてドアを付け替え、傾斜が急な階段をゆるやかにし、玄関に作り付けの下駄箱を設置した。こうした作業のために、壁に穴を開けたり、床板を剝がしたりしていると、気も留めずにいた家という存在が、まざまざと見えてくる。20年ほど前にこの家を建てた人たちの痕跡が、いたるところに残っているのだ。階段の手すりの感触、やや低めの浴室の洗面台、朝の食卓にやわらかく降りそそぐ日差し。同じものを見て感じた

であろうその人たちのことを、わたしは思い浮かべる。
真夜中に目が覚めたときに聞こえてくるホトトギスの
鳴き声も、裏庭のケヤキの陰も、屋根や塀と同じくこ
の家の一部であり、その人たちにとっても生活の一部
だったはず。こうしたものを調べ、住んでいた人の心
を推しはかるのは、まるでささやかな考古学のようだ。
わたしがいま、家の手入れをしながら残しているすべ
ての痕跡も、いつか誰かが同じ気持ちで見つめること
だろう。家は、未来に住む見知らぬ誰かに送る手紙の
ようだ。

「虚空に文字を書く」
21×29.7cm、紙に鉛筆、2019

はがき

　はがき1枚ほどの大きさの紙に、毎月一篇ずつ短い文章を書く。畢生の大作を生み出そうとか、真の作家たちの前で特別な才能を誇ろうとか、そういう意図はない。目を引いたり、思い浮かんだりすることをノートに書き留め、時間があるときに手を加えたものだ。だが、うまく書けたと思う文をさらに何度も練り直し、どうにかエッセイにまとめるうちに、あっという間に締め切りがやってくる。一貫したテーマもなく、目標とする方向性もなく、湧き出るアイディアもなく、何といってもその文章には皿の水のごとく深みがない。前と同じ話を書いているのではないか、それに自分だけが気づいていないのではないかと、ひやひやしている。家

と大学の往復のみを繰り返す日常のなかで、たいそうな発見でもしたかのように、ひとりで空騒ぎしているだけではないか、と。

　文章を書くことは、荒涼たる火星の砂丘で水が流れた跡を探すがごとく、無謀であてのない旅だ。リュックサックひとつで黄金を求めてオーストラリアの荒野をさすらう人や、渓谷を悠々と滑空した末に獲物を逃して舞い戻る鷹の心に思いをはせる。長い時間を経て、手のひらほどのはがきは、果たして誰に届くのか。宛先のないガラス瓶に入った手紙は、未知の浜辺でどんな人に出会うのだろうか。

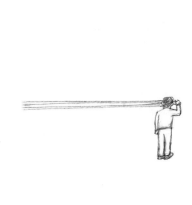

　きっかけは、BTSのリーダー RMの無言の投稿だった。2021年5月28日午前0時27分、ファンのためのオフィシャルコミュニティ Weverseに本の一部を撮った2枚の写真をコメントなしでシェア。即座にARMYと呼ばれるファンたちが出処を調べ始めた。写真が『それぞれのうしろ姿』の「植物の時間」だと判明するや、韓国の大手書店・教保文庫での週間販売量は、250倍に激増し、ほとなく完売に。版元の現代文学が「(増刷を)待っている方の癒やしになるように、印刷所の現場を公開します!!」というコメントとともに、ページを次々と刷り出す印刷機の動画をツイートすると、世界中から「いいね」が集まった。良書を発掘してベストセラーを生み出すRMの慧眼は、編集者や翻訳出版著作権エージェントをも唸らせる。

　本書の著者アン・ギュチョルは、インスタレーションを多く手がける現代美術家だ。作品を貫く思惟の原点は、1984年、美術記者として訪れた東京で見た、『ヨーゼフ・ボイス&ナムジュン・パイク』展だった。ドイツの現代美術家・社会活動家ヨーゼフ・ボイスとビデオ・アートの父と称されるナムジュン・パイクの社会にたいする批判精神と責任感に突き動かされたアン・ギュチョルは、翌年、「民衆美術」〈政治的抑圧や社

会的矛盾を「歴史の主体は民衆である」という立場から表現しようとしたリアリズム美術運動〉のグループに参加。「自分にできることは何か」と自問するようになり、ヨーロッパ留学を志す。渡欧したのは1987年、韓国で民主化運動のうねりが高まる最中のことだった。

　ドイツでポストモダンアートの洗礼を受けて帰国後、美術家として本格的に活動を開始。自らのメッセージを作品に込めることに専念していたアン・ギュチョルは、「アーティストは生産者で観客は消費者」という一方通行の芸術表現に疑問を感じ、悩み始める。転機となったのは、2004年にソウルでの個展で展示した「49の部屋」という作品だ。タテヨコ7列ずつ49個並ぶ、公衆電話ブースほどの小さな部屋。それらの部屋はすべて四方にある木製のドアでつながって、ドアを閉じれば小さな部屋になり、開けば通路になる。シンプルな空間のなかで、ある人は閉じた部屋に恐れを感じ、ある人はドアを開いて見知らぬ人と出会う。さまざまにアートを体感する観客たちの姿に、アン・ギュチョルは、観る人に何かを考えて意味を発見する余地を与えることの大切さを悟ったという。「作家は場を作り、そのなかで観客が自分の経験と記憶を生か

し、意味を組み立てる。それが芸術家の役割だと気づいたのです」（2015年12月にソウルで開催されたトークイベント「事物の人類学」より）

　本書にもアン・ギュチョル流アートのエッセンスが存分にちりばめられている。たとえば「バランスの問題」では2014年に起きたセウォル号沈没事故、「直角の問題」では1990年代半ばに崩壊した三豊百貨店と聖水大橋をほのめかす文章が登場するが、固有名詞は明記されていない。「安否」の「完全無欠といわれた人が全国民の前で恥をかいたり」というくだりは、秘書からセクハラを告発されて2020年に自殺したとされる朴元淳元ソウル市長を彷彿とさせるが、翻訳の過程で著者に確認すると、「朴元市長の事件が起きる前に書いた文章」だという。また、原文には「彼女」にあたる単語「ユ녀」は一度も書かれておらず、三人称単数はすべて「ユ」だ。ユは一般的に「彼」あるいは「それ」と訳されるが、「男女の区別をしないため」という著者の意思にならい、本書ではすべて「その人」とした。つまり、エッセイを歴史的な事件に結びつけるのも、身近な出来事や（性別を問わず）人を思い出して重ねるのも、読み手次第。まさに読者が「自分の経験と記憶を生かし、意味を組み立てる」本なのだ。

同時に、日常にあらたな視点を与える書でもある。世の中に敷かれたレールの上を歩き疲れて止まってしまっているとき、発想をほんの少し転換させれば、力が抜けて前向きになれる。真っすぐ前を見るだけでなく周りに目を向けることが、凝り固まった思考を解きほぐすのだと、著者は自らの経験をもとに示唆している。

　受け手に自由な解釈を委ねつつ、前向きな気づきを与える。思えばそれは、BTSの世界観にも重なるところがあるのではないか。「Spring Day」ではセウォル号沈没事故を、「Ma City」では光州事件を歌っているといわれながらも、歌詞にははっきり書かないように。RMが、あえて無言で「植物の時間」のページを投稿したように。

　そう、本書に記されている67の文章と絵の読み解き方にはきっと正解はなく、心に浮かぶ結論は人それぞれ。本を読み終えた今、あなたの心のスケッチブックには、どんな絵が描かれているだろうか。

　最後に、原文確認をしてくださったイ・ソヒョンさんに御礼を申し上げる。

2021年10月　桑畑優香

それぞれのうしろ姿

2021年11月25日　初版第1刷発行

著者　アン・ギュチョル

訳者　桑畑優香

発行者　廣瀬和二

発行　辰巳出版株式会社

〒113-0033　東京都文京区本郷1-33-13　春日町ビル5F
TEL：03-5931-5920（代表）　FAX：03-6386-3087（販売部）

印刷・製本所　中央精版印刷株式会社

ISBN 978-4-7778-2870-8　C0098　Printed in Japan